Guia de Conversação Francês

PARA

LEIGOS®

Dodi-Katrin Schmidt,
Michelle M. Williams,
Dominique Wenzel

Guia de Conversação Francês para Leigos Copyright © 2009 da Starlin Alta Con. Com. Ltda.

Original English language edition Copyright © 2004 by Wiley Publishing, Inc. by Dodi-Katrin Schmidt, Michelle M. Williams, Dominique Wenzel. All rights reserved including the right of reproduction in whole or in part in any form. This translation published by arrangement with Wiley Publishing, Inc

Portuguese language edition Copyright © 2009 da Starlin Alta Con. Com. Ltda. All rights reserved including the right of reproduction in whole or in part in any form. This translation published by arrangement with Wiley Publishing, Inc

"Willey, the Wiley Publishing Logo, for Dummies, the Dummies Man and related trad dress are trademarks or registered trademarks of John Wiley and Sons, Inc. and/or its affiliates in the United States and/or other countries. Used under license.

Todos os direitos reservados e protegidos pela Lei 5.988 de 14/12/73. Nenhuma parte deste livro, sem autorização prévia por escrito da editora, poderá ser reproduzida ou transmitida sejam quais forem os meios empregados: eletrônico, mecânico, fotográfico, gravação ou quaisquer outros.

Todo o esforço foi feito para fornecer a mais completa e adequada informação, contudo a editora e o(s) autor(es) não assume responsabilidade pelos resultados e usos da informação fornecida. Este livro não contém CD-ROM, disquete ou qualquer outra mídia.

Erratas e atualizações: Sempre nos esforçamos para entregar ao leitor, um livro livre de erros técnicos ou de conteúdo; porém, nem sempre isso é conseguido, seja por motivo de alteração de software, interpretação ou mesmo quando alguns deslizes que constam na versão original de alguns livros que traduzimos. Sendo assim, criamos em nosso site, www.altabooks.com.br, a seção Erratas, onde relataremos, com a devida correção, qualquer erro encontrado em nossos livros.

Avisos e Renúncia de Direitos: Este livro é vendido como está, sem garantia de qualquer tipo, seja expressa ou implícita.

Marcas Registradas: Todos os termos mencionados e reconhecidos como Marca Registrada e/ou comercial são de responsabilidade de seus proprietários. A Editora informa não estar associada a nenhum produto e/ou fornecedor apresentado no livro. No decorrer da obra, imagens, nomes de produtos e fabricantes podem ter sido utilizados, e desde já a Editora informa que o uso é apenas ilustrativo e/ou educativo, não visando ao lucro, favorecimento ou desmerecimento do produto/fabricante.

Impresso no Brasil
O código de propriedade intelectual de 1° de julho de 1992 proíbe expressamente o uso coletivo sem autorização dos detentores do direito autoral da obra, bem como a cópia ilegal do original. Esta prática generalizada, nos estabelecimentos de ensino, provoca uma brutal baixa nas vendas dos livros a ponto de impossibilitar os autores de criarem novas obras.

Produção Editorial: **Starlin Alta Con. Com. Ltda**,
Coordenação Editorial: Marcelo Utrine **Coordenação Administrativa**: Anderson Câmara
Tradução: Tibério Novais **Revisão:** Ana Carolina Soares **Revisão Técnica:** Carla Cabrera Valdivia, Lidia da Cruz Moreira **Diagramação**: Lúcia Quaresma **Fechamento:** Alessandro Talvanes

Rua Viúva Cláudio, 291 - Bairro Industrial do Jacaré
CEP: 20970-031 - Rio de Janeiro – Tel: 21 3278-8069/8419 Fax: 21 3277-1253
www.altabooks.com.br – e-mail: altabooks@altabooks.com.br

Sobre os Autores

Dodi-Katrin Schmidt é escritora, tradutora e editora há mais de dez anos. Além de traduzir vários tipos de texto em alemão, francês e inglês, incluindo manuais linguísticos, críticas de filmes, guias turísticos e livros infantis. Dodi também já esteve envolvida na criação de livros-texto de idiomas, cursos de idiomas, manuais para professores e guias gramaticais para cursos de idioma em vídeo. Há mais de duas décadas, ela leciona para o ensino médio, educação para adultos e níveis universitários na Europa e nos EUA. Escreve também questões de prova para vários exames nacionais de idiomas e livros-texto gravados, além de materiais para exames. Junto com seu marido, ela viaja bastante e continuamente hospeda estudantes estrangeiros e antigos alunos em sua casa em Princeton, no estado de New Jersey.

Michelle Williams é editora de uma importante editora de livros educacionais. Ex-professora de francês, trabalhou com alunos desde a faixa etária dos 2 anos de idade até adultos, nos setores público e privado. Atualmente, é professora particular de francês de um jovem atleta skatista a com sonhos olímpicos. Ela defende transformar o aprendizado das línguas em algo divertido e acessível a todos que desejem aprender. No entanto, sua experiência mais gratificante é observar e escutar seu filho, Nathaniel, aprendendo a falar e cantar em francês.

Dominique Wenzel é professora autônoma de francês e tradutora há 15 anos. Nascida e educada na França, recebeu seu grau de mestra pela universidade de Paris-Sorbonne e estudou na universidade de Chicago com uma bolsa de pós-graduação da Fulbright. Entre seus alunos estão profissionais da área de negócios, crianças e adultos de todos os níveis e interesses. Viaja regularmente para a França. Dominique criou dois filhos biculturais e bilingues, ambos ativos no cenário internacional.

Sumário

A 5ª Onda

By Rich Tennant

Introdução

À medida que a natureza da sociedade se torna cada vez mais internacional, saber como dizer pelo menos algumas palavras em outras línguas torna-se cada vez mais útil. Companhias aéreas com bilhetes a baixo custo estão transformando as viagens ao exterior em uma opção realista. Os ambientes globais de negócio necessitam de viagens ao exterior. Talvez você simplesmente tenha amigos e vizinhos que falem outras línguas ou talvez queira entrar em contato com outras gerações de sua família e aprender um pouco da língua que seus antepassados falavam.

Seja qual for seu motivo para aprender um pouco de francês, este livro com certeza pode ajudá-lo. Aqui, não prometemos fluência, mas, se você tiver que cumprimentar alguém, comprar um bilhete ou fazer um pedido em um restaurante em francês, tudo que você precisa é o *Guia de Conversação Francês Para Leigos*.

Sobre este Livro

Este livro não tem nada a ver com aquela aula para a qual você tem que se arrastar duas vezes por semana e por um período específico de tempo. Este livro pode ser usado como bem quiser – seja o seu objetivo aprender algumas palavras e frases para ajudá-lo a se virar quando estiver visitando a França, seja simplesmente aprender a dizer "Oi, como vai?" ao seu vizinho que fala francês. Leia este livro de acordo com seu próprio ritmo, lendo o máximo ou o mínimo por vez que você desejar. Não é preciso seguir os capítulos em ordem; basta ler as seções de seu interesse.

Caso você nunca tenha estudado francês antes, talvez valha a pena ler os Capítulos 1 e 2 antes de passar para os capítulos posteriores. Esses capítulos dão a você algumas noções básicas do que é preciso saber sobre a língua, como, por exemplo, a pronúncia de vários sons.

Convenções Usadas neste Livro

Para facilitar a leitura deste livro, definimos algumas convenções:

- Os termos em francês estão destacados em **negrito** para realçá-los.
- A pronúncia é apresentada em *itálico* logo após os termos em francês.

  Nas pronúncias, o som nasal (veja o Capítulo 1) é indicado pelo til (~) sobre o *a* (ã) e o *o* (õ), e por "en" para o *e*.
- A memorização de palavras-chave e frases é importante no aprendizado de uma língua; por isso, juntamos as palavras importantes de um capítulo ou de uma seção em uma lista intitulada "Palavras a Saber". Os substantivos em francês possuem gênero, o que determina qual artigo deve ser usado. Na lista "Palavras a Saber" incluímos o artigo para cada substantivo para que você possa memorizá-lo junto com o substantivo.

Você pode observar que os guias de pronúncia não dizem qual deve ser a sílaba tônica. A língua francesa não coloca uma tonicidade significativa sobre uma sílaba em comparação com as outras. Menos uma coisa a memorizar!

Observe também que, como cada língua tem sua própria forma de expressar ideias, as traduções em português que fornecemos para os termos em francês podem não ser exatamente literais. Queremos que entenda o que está dizendo ou escutando e não só as palavras que estão sendo ditas. Por exemplo, a frase **C'est normal** (*cê normal*) pode ser traduzida literalmente como "(isso) é normal", mas a frase na verdade significa "Nada demais". É exatamente essa tradução de "Nada demais" que este livro ensina.

Algumas Considerações Básicas

Para escrever este livro, tivemos que fazer algumas considerações sobre quem você é e o que quer. Veja as considerações que fizemos sobre você:

- Você não sabe nada de francês – ou se fez francês na escola, não se lembra de uma única palavra.
- Você não está procurando um livro que o torne fluente em francês; quer apenas saber algumas palavras, frases e construções de orações para que possa comunicar-se com informações básicas em francês.
- Você não quer memorizar longas listas de palavras de vocabulário ou um monte de regras gramaticais enfadonhas.
- Você quer se divertir e aprender um pouco de francês ao mesmo tempo.

Se essas frases se aplicam a você, acaba de achar o livro certo!

Ícones Usados neste Livro

Enquanto estiver lendo este livro, é possível que você esteja procurando por algumas informações particulares. Para facilitar encontrar as informações certas, colocamos os seguintes ícones nas margens no decorrer do livro:

Este ícone destaca as dicas que podem facilitar a assimilação de frases e palavras em francês.

Para que você não esqueça os detalhes importantes, este ícone serve de lembrete, como um pedaço de barbante amarrado na ponta do seu dedo.

As línguas são cheias de armadilhas que podem pegá-lo se você não estiver preparado. Este ícone destaca análises sobre regras gramaticais estranhas.

Caso esteja procurando por informações sobre a cultura francófona, procure este ícone. Ele destaca detalhes interessantes dos países de fala francesa.

Aonde Ir a Partir Daqui

Aprender uma língua envolve mergulhar nela e experimentá-la (não importa se a sua pronúncia é ruim no início). Portanto, dê o seu mergulho! Comece do início ou escolha um capítulo de seu interesse. Antes do que você imagina, já estará respondendo **"Oui!"** quando alguém perguntar **"Parlez-vous français?"**.

Capítulo 1

Como é Que Eu Digo Isto? Falando Francês

Neste Capítulo

- Lembrando o francês que você já sabe
- Aprendendo a pronúncia básica
- Usando expressões populares

Este capítulo foi feito para você molhar os pés. Bem, na verdade, de certa forma empurramos você para dentro da piscina. Começamos mostrando as semelhanças entre o francês e o português; em seguida, apresentamos algumas expressões em francês que provavelmente você já conhece e entende; e, em seguida, falamos sobre a pronúncia.

O Francês que Você Conhece

As pessoas devem ter em mente que o francês tem sua origem no latim, assim como o português. Com base nisso, você já conhece muitas palavras em francês, mesmo que não perceba isso. É isso o que você vai descobrir neste capítulo. A única armadilha que você deve prestar atenção é que, às vezes, algumas palavras em português têm significado diferente de suas correspondentes em francês, e quase certamente têm pronúncias diferentes.

Bons aliados – bons alliés (bõ zaliê)

A lista a seguir mostra palavras que têm grafia semelhante ao português – e que têm o mesmo significado. A única diferença pode estar na pronúncia.

- **art** *(ar)*
- **client** *(clí-ã)*
- **concert** *(cõ-cér)*
- **condition** *(cõ-di-ciõ)*
- **content** *(cõ-tã)*
- **courage***(cu-rráy)*
- **culture***(cul-tyr)*
- **différent** *(di-fe-rã)*
- **garage** *(ga-rráj)*
- **important** *(ã-por-tã)*
- **journal** *(jur-nal)*
- **moment** *(mo-mã)*
- **nation** *(na-ciõ)*
- **possible** *(po-ci-bl)*
- **principal** *(prã-ci-pal)*
- **probable** *(pro-ba-be)*
- **question** *(kes-tiõ)*
- **radio** *(ra-di-ô)*
- **répétition** *(re-pe-ti-ciõ)*
- **restaurant** *(res-tô-rã)*
- **rose** *(rô-z)*

- **rouge** *(ru-j)*
- **route** *(ru-t)*
- **science** *(ci-ã-s)*
- **secret** *(ce-cré)*
- **service** *(cer-vis)*
- **signal** *(ci-nal)*
- **silent** *(ci-lã)*
- **solitude** *(so-li-tyd)*
- **sport** *(spór)*
- **station** *(s-ta-ciõ)*
- **statue** *(sta-ty)*
- **suggestion** *(su-jes-tiõ)*
- **surprise** *(syr-prís)*
- **taxi** *(ta-ksí)*
- **tennis** *(te-nís)*
- **train** *(trã)*
- **urgent** *(ur-jã)*
- **violet** *(vi-ô-lé)*
- **voyage** *(vua-iáj)*

Primos próximos

A Tabela 1-1 mostra algumas palavras com significados e pronúncias semelhantes.

Tabela 1-1 Palavras com Significado Semelhante e Grafia Ligeiramente Diferente

Francês	*Português*
acteur (ac-târ)	ator

(continua)

Francês	*Português*
américain (a-mê-rri-cã)	americano
artiste (ar-tíst)	artista
auteur (ô-târ)	autor
banque (bãc)	banco
chèque (chéc)	cheque
classe (cláss)	classe
comédie (co-me-dí)	comédia
congrès (con-grré)	congresso
démocratie (de-mo-crra-cí)	democracia
gouvernement (gu-vérn-mã)	governo
hôtel (ô-tél)	hotel
leçon (le-ssõ)	lição
lettre (lé-trre)	letra
mémoire (me-muár)	memória
musique (my-zic)	musical
nationalité (na-cio-na-li-tê)	nacionalidade
nécessaire (ne-ce-ssér)	necessário
ordinaire (or-di-nér)	ordinário
papier (pa-piê)	papel

poème (po-ém)	poema
potential(po-tã-cial)	potencial
problème (prro-blém)	problema
sénateur (se-na-tôr)	senador
tragédie (trra-gê-dí)	tragédia
visite (vi-zít)	visita

Falsos cognatos (ou falsos amigos) – faux amis

As palavras a seguir são semelhantes ao português, mas não têm o mesmo significado:

- **attendre** *(a-tã-drâ)*: Essa palavra significa "esperar", e não "atender". A palavra francesa para "atender" é **"assister à"** *(a-ssis-tê a)*.
- **chute** (*chut*) – Essa palavra significa "queda", e não "chute" . A palavra francesa para "chute" é **coup de pied** (*cu dâ piê*).
- **courses** (*cur-se*) – Essa palavra significa "compras" e não "cursos". A palavra francesa para "curso" é "cours" (*cur*).
- **depuis** *(dê-puí)*: Essa palavra significa "desde" e não "depois". A palavra francesa para "depois" é **après** *(a-prré)*
- **pente** *(pãt)*: Essa palavra significa "inclinação" e não "pente". A palavra francesa para "pente" é **peigne** *(pé-nhâ)*.
- **sobre** *(só-brâ)*: Essa palavra significa "sóbrio" e não "sobre". A palavra francesa para "sobre" é **sur** *(syr)*

Pegando emprestado

Algumas palavras em português foram emprestadas do francês.

No entanto o francês emprestou muitas palavras para o português, e continua a fazê-lo, apesar dos fortes protestos puristas que condenam essa tendência como um sinal de contaminação cultural:

- **abat-jour (a-ba-júr)**
- **atelier (a-te-liê)**
- **baguette (ba-guét)**
- **bâton (ba-tõ)**
- **bijouterie (bí-ju-te-rrí)**
- **bon-vivant (põ-vi-vã)**
- **carrousel (ca-rru-cél)**
- **champagne (cha-pãnh)**
- **crème (crém)**
- **debenture (de-bã-tiur)**
- **en passant (ã-pa-ssã)**
- **guichet (gui-chê)**
- **manucure (ma-ny-kujr)**
- **maquillage (ma-ki-áj)**
- **menu (me-ny)**
- **métier (me-tiê)**
- **omelette (om-lét)**
- **puríe (py-rrê)**
- **toilette (toa-lét)**

Fazendo-se Ouvir: Pronúncia Básica

A parte mais difícil da pronúncia é superar o medo de não soar como um francês quando estiver falando. É bem provável que você esteja com medo de jamais conseguir reproduzir os sons que escuta nas músicas dos filmes em francês. Lembre-se, entretanto, de que sempre que qualquer pessoa escutar qualquer língua estrangeira falada ou cantada em velocidade normal, as palavras – que, de início, não fazem sentido – criam um emaranhado de sons impossíveis de reproduzir. Depois que você tiver superado seu medo de soar engraçado, tudo ficará divertido e fácil. Esperamos que nossa tentativa de consolo ajude a reduzir o seu medo.

Para assistir a um jogo, ou participar dele, é preciso primeiro entender suas regras básicas. A aquisição de outra língua não é diferente. Depois de dominar essas regras de pronúncia, é preciso praticar sempre que você tiver um tempinho, assim como teve que praticar piano quando era criança. (Procure praticar em sessões curtas, mas frequentes.) O melhor é simplesmente repetir várias vezes a mesma coisa, independentemente de quanto isso possa ser enfadonho.

O alfabeto francês

O alfabeto francês tem o mesmo número de letras do alfabeto português – 26. Como você já sabe, algumas das letras são pronunciadas de forma diferente. A Tabela 1-2 lista as letras e suas pronúncias, que poderão ser úteis para consulta, se, por exemplo, você tiver que soletrar seu nome ao telefone ou anotar um endereço. Essas dicas de ajuda nem sempre são possíveis, obviamente, pois embora muitos sons sejam praticamente iguais em francês e em português, alguns sons em francês não existem na língua portuguesa. O fato de que esses sons não sejam familiares não significa que você não os consiga pronunciar. Leia as próximas seções para obter um pouco de ajuda e algumas dicas.

Tabela 1-2 O Alfabeto Francês

Letras	*Som*	*Como em Português*
a	a	árvore
b	bê	bebê
c	cê	cenoura
d	dê	dedo
e	ê	elefante
f	éf	chefe
g	gê	geleia
h	ache	achar
i	i	índio
j	ji	jiboia
k	cá	carro
l	el'	pele
m	em'	empregado
n	en'	dente
o	ô	bolo
p	pê	pelo
q	ke	queijo
r	erre	cerre
s	ess	soubesse
t	tê	telha
u	y	
v	vê	veia

(continua)

w	duble-vê	
x	iks	toráx
y	i-grrec	
z	zêd	zebra

O som das vogais

O som das vogais são os mais difíceis de pronunciar em francês. Geralmente, terminam as sílabas. Os sons são parecidos com do português, com algumas pequenas diferenças. Observe a Tabela 1-3.

Tabela 1-3 Sons das vogais em francês

Som	*Grafia*	*Como em Português*	*Palavra em Francês*
a	a, â	carro	la tasse (la tasse) (a xícara)
â (aproximado: os lábios na posição de quem falaria o "o", mas com som de "e")	som aproximado ao primeiro "a" de cama		
e, eu		guichê	le petit (lâ pâti) (o pequeno)
ê	é, ez, er, et	café	les cafés (lê cafê) (os cafés)
é	è, ê		la mère (la mérre) (a mãe)
i	i, y	índio	vite (vit) (rápido)
ô	o, ô, au, eau	bolo	l'eau (lô) (água)
ó	o	colo	la pomme (la póme) (a maçã)
u	ou	bambu	l'amour (la-múr) (o amor)

(continua)

uá	oi, oy	patuá	la soie (la suá) (a seda)
y	*		salut (saly) (olá)

** O som representado por y representa em francês a letra u, um som que não existe em português, mas que não é difícil de pronunciar. A dica é a seguinte: diga i, mantendo a ponta da sua língua pressionada contra seus dentes inferiores frontais. Mantendo essa posição, faça o famoso "biquinho" com seus lábios e o som que sairá da sua boca será o "y" usado para representar o u francês.*

O acento

O acento sobre uma vogal em francês não indica que aquela seja a sílaba tônica. Ele afeta simplesmente a letra sobre a qual está e não muda a pronúncia da letra, a não ser que seja um *e* (veja a Tabela 1-3).

O e mudo

No final de uma palavra ou entre duas consoantes, o *e* normalmente não é pronunciado; ele é chamado de mudo. Por exemplo, não se pronuncia o *e* ao final de **grande** (*grãd*) (alto/ grande) ou no meio de **samedi** (*sãm-dí*) (sábado). (Veja também a seção "A elisão" mais adiante neste capítulo para mais informações sobre o *e* final).

Os sons nasais

O som nasal é bastante comum em francês assim como no português. Sua pronúncia é idêntica ao português.

A Tabela 1-4 apresenta os sons nasais.

Tabela 1-4 Sons Nasais

Som	*Soletrado*	*Palavra em Francês*
ã	an, en	grand (grã) (grande)
en	ain, in, un, aim, im	pain (pã) (pão)
õ	on	bon (bõ) (bom)

Consoantes

As consoantes francesas são pronunciadas de forma bastante parecida ao português.

Algumas palavras de cautela: em francês, as consoantes no final de uma palavra geralmente não são pronunciadas, exceto o *c*, *f*, *r* e *l* (as consoantes na expressão café ralo).

A Tabela 1-5 traz os sons das consoantes em francês que podem causar problemas por terem grafias diferentes ou porque você pensa que não existem em português.

Tabela 1-5 Consoantes em Francês que Exigem Cuidados

Som	*Grafia*	*Como em português*	*Palavra em francês*
s	ss (entre duas vogais)	sapo	poisson (pua-ssõ) (peixe)
	c (antes de *e* e *i*)		ciel (ci-él') (céu)
	ç (antes de *a, o* e *u*)		garçon (gar-çõ) (menino
g	g (na frente do *a*)	gato	gâteau (ga-tô) (bolo)
	gu (na frente do *e*)		guerre (guerr) (guerra)
ju	j (na frente de *u*)	justiça	jour (jur) (dia)
			genou (je-nú) (joelho)
ch	ch	chave	chapeau (cha-pô) (chapéu)
nh	nh	montanha	montagne (mõ-ta-nh) (montanha)

Mais duas consoantes que valem a pena mencionar:

- A letra *h* é sempre muda em francês. Basta ignorá-la.
- O *r* em francês sempre equivale ao som de “rr” em português, inclusive quando vem depois de uma consoante.

A ligação

Você já teve a impressão, quando estava escutando uma conversa em francês, de que tudo parecia uma única e grande palavra? Provavelmente, sim. Isso acontece por causa de um fenômeno em francês chamado ligação. **Faire la liaison** (*fér la liezõ*) (fazer a ligação) significa que a última consoante de uma palavra é ligada à vogal que começa a palavra seguinte. Observe estes exemplos:

- **C'est_un_petit_appartement.** (*ce-tã pê-ti-ta-par-tê-mã*) (É um apartamento pequeno.)
- **Vous_êtes mon_ami depuis six_ans.** (*vu-zet mõN--amí dâ-puí si-zã*) (Você é meu amigo há seis anos.)

Mas como a língua francesa é cheia de exceções, é preciso ter cuidado todas as vezes que você aprender um novo grupo de palavras: a ligação não é sistemática. Uma exceção importante acontece com palavras depois de **et** (*ê*), que significa "e".

un livre et // un crayon (*ã lívr'ê // ã crê-õ*) (um livro e um lápis)

A elisão

Quando uma palavra termina com e ou a (geralmente um artigo ou um pronome) e é seguida de uma palavra que começa com uma vogal, o primeiro e ou a desaparece e é substituído por um apóstrofo. Esta regra, como a ligação, contribui para a fluidez da língua francesa. Veja alguns exemplos:

- **la + école** > **l'école** (*lê-col'*) (a escola)
- **je + aime** > **j'aime** (*jém*) (eu gosto)
- **le + enfant** > **l'enfant** (*lã-fã*) (a criança)

Sílaba tônica

Em francês, cada sílaba tem importância igual em volume e tonicidade. Em francês, em uma palavra com duas ou mais sílabas, a sílaba tônica cai na última sílaba – mas essa tonicidade é moderada. Por exemplo, a sílaba tônica de **photographie** (*fo-to--grra-fi*) (fotografia) é bem leve e cai na última sílaba da palavra.

Em palavras que são semelhantes ao português, pode ser preciso um pouco de prática para se lembrar de não colocar a sílaba tônica naquela sílaba com a qual você está acostumado. É como passar a prega de um par de calças várias vezes.

Expressões Idiomáticas e Populares

O francês, como o português, possui muitas expressões idiomáticas (formas inusitadas de expressar sentimentos e ideias). Se tentar traduzir palavra por palavra, você provavelmente não vai entender o significado dessas expressões.

Essas formas fixas de expressão – o ideal é que você as aprenda e as use como tais – pertencem especificamente ao idioma em questão. Se você chegasse para um francês e dissesse "**Il pleut des canifs**" (*il' plâ de canif*) (está chovendo canivete), ele questionaria sua sanidade mental. É possível que você se veja perguntando o que um francês quer dizer quando usa uma de suas expressões idiomáticas, tais como "**Il tombe des cordes**" (*il' tomb de cord*), literalmente "estão caindo cordas", expressão francesa que corresponde a "está chovendo canivetes".

Fora essas expressões idiomáticas, que levam um longo tempo para serem aprendidas e que pertencem especificamente a uma cultura, é possível que você encontre expressões e frases que não consiga traduzir palavra por palavra, mas que pode facilmente aprender e usar.

Veja algumas expressões úteis que você frequentemente escuta em francês:

- **Allez! Un petit effort!** (*a-lê ã pâ-tí-te-fór*) (Vamos lá! Tente/experimente um pouco!)
- **à mon avis** (*a mõn-a-ví*) (em minha opinião)
- **bien sûr** (*biã syr*) (é claro)
- **de rien** (*dâ ri-ã*) (de nada)
- **d'accord** (*da-cór*) (de acordo)
- **jamais de la vie!** (*ja-mé dla ví*) ou **pas question!** (*pá kes-tiõ*) (de forma alguma)
- **tant mieux** (*tãN mi-â*) (tanto melhor)
- **tant pis** (*tã pí*) (que ruim)
- **tout à fait** (*tu-ta fé*) (completamente)

Veja outras expressões que utilizam a palavra **faire** (*fér*) (fazer):

- **faire une promenade** (*fér-yn prrom-nad*) (fazer uma caminhada)
- **faire le plein** (*fér lâ pleN*) (encher o tanque)
- **faire attention** (*fér-a-tã-ciõ*) (prestar atenção)
- **faire partie de** (*fér par-tí dâ*) (fazer parte de)
- **faire ses valises** (*fér sê va-líz*) (fazer as malas)

Veja algumas expressões com **avoir** (*a-vuar*) (ter):

- **avoir besoin de** (*a-vuar be-zuã dâ*) (precisar de)
- **avoir peur de** (*a-vuar pâr dâ*) (ter medo de)
- **avoir envie de** (*a-vuar ã-ví dâ*) (estar a fim de)
- **avoir mal à la tête** (*a-vuar ma-la-la tét*) (ter dor de cabeça)

- **avoir chaud** (*a-vuar chô*) (estar com calor)
- **avoir froid** (*a-vuar fruá*) (estar com frio)
- **avoir faim** (*a-vuar feN*) (estar com fome)
- **avoir soif** (*a-vuar suáf*) (estar com sede)
- **avoir raison** (*a-vuar re-zõ*) (ter razão)
- **avoir tort** (*a-vuar tór*) (estar errado)
- **en avoir assez** (*ã-na-vuar-a-ssê*), literalmente "ter o suficiente"; em Québec, **être tanné** (*é-trâ ta-nê*) (estar cheio)

Capítulo 2

A Gramática de Dieta: Apenas o Básico

Neste capítulo

- Construindo frases simples
- Fazendo perguntas do jeito fácil
- Conjugando os tempos no passado, presente e futuro
- Resolvendo o dilema do gênero
- Conhecendo "você": a questão do **tu/vous**

Embora a palavra "gramática" possa deixar você tão nervoso agora quanto na época da escola, relaxe e segure o lápis com menos força: a gramática é puramente um tubo de cola escolar que você usa para juntar as frases em francês. De fato, a gramática é simplesmente uma palavra que expressa diferentes formas de combinar substantivos (para dar nome às coisas), adjetivos (para qualificar esses substantivos), verbos (para mostrar ação ou um estado) e advérbios (para descrever verbos, adjetivos ou outros advérbios). Essa combinação de palavras possibilita a expressão de nossas necessidades, desejos, gostos e desinteresses; nossas ações no presente, passado e futuro; e as maneiras e os meios pelos quais essas ações acontecem.

Construindo Frases Simples

Uma construção de frases simples (em francês ou em português) consiste em um substantivo, um adjetivo, um verbo e, possivelmente, um advérbio.

Substantivos

Todos os substantivos em francês possuem sexo, como em português: eles são masculinos ou femininos. Mas, em vez de darmos a isso o nome de sexo, os estudiosos da gramática falam em gênero de um substantivo (talvez para evitar piadinhas).

Tanto em francês quanto em português, os substantivos são singulares ou plurais. Dizemos, neste caso, que eles têm número.

Os substantivos em francês são quase sempre precedidos de artigos – pequenas palavras como "o" e "a", "um" e "uma", em português – que marcam o gênero e o número dos substantivos. A melhor forma de se acostumar e saber o gênero certo de um substantivo em francês é tentar lembrar-se do artigo que acompanha o substantivo. Em outras palavras, nunca memorize um substantivo sem o seu marcador. Em vez de **table** (*ta-ble*) (mesa), diga **la table** (*la ta-ble*) (a mesa) ou **une table** (*yn ta-ble*) (uma mesa). Em vez de **livre** (*li-vrre*) (livro), pense em **le livre** (*lâ li-vrre*) (o livro) ou **un livre** (*ã li-vrre*) (um livro). Mais adiante neste capítulo, veremos essa questão do gênero em mais detalhe.

Enquanto em português o plural de "o" é "os" e de "a" é "as", em francês, o artigo masculino para "o" é **le** (*lâ*) e o artigo feminino para "a" é **la** (*la*), mas o plural é **les** (*le*) para ambos os casos. O artigo masculino para "um" é **un** (*ã*) e o artigo feminino para "uma" é **une** (*yn*), mas o plural é **des** (*de*) para ambos os casos. Assim, **le livre** (*lâ li-vrre*) (o livro) torna-se **les livres** (*le li-vrre*) (os livros) e **une table** (*yn ta-ble*) (uma mesa) torna-se **des tables** (*de ta-ble*) (umas mesas).

Adjetivos

Adjetivos descrevem substantivos. Como os substantivos em francês possuem gênero e número, qualquer adjetivo deve combinar com o substantivo que ele qualifica em gênero e número.

Lembre-se, também, de que, em francês, alguns adjetivos são colocados antes do substantivo enquanto outros vêm depois. Por exemplo:

- **le papier blanc** (*lâ pa-piê blã*) (o papel branco)
- **la grande maison** (*la grã mé-zõ*) (a casa grande)
- **les feuilles vertes** (*le fôie vért*) (as folhas verdes)
- **les petits oiseaux** (*le pâ-tí-zuá-zô*) (os pequenos pássaros)

Via de regra, os adjetivos que precedem o substantivo geralmente se relacionam a:

- Beleza: **beau/belle** (*bô/bél'*) (belo/bela), **joli** (*jo-lí*) (bonito) e assim por diante
- Idade: **jeune** (*jân*) (jovem), **vieux/vieille** (*viâ, viéiâ*) (velho/velha) e assim por diante
- Bondade ou maldade: **bon/bonne** (*bõ/bon'*) (bom/boa), **mauvais** (*mô-vé*) (mau) e assim por diante
- Tamanho: **grand** (*grã*) (grande), **petit** (*pâ-tí*) (pequeno) e assim por diante.

Lembre-se de que um adjetivo varia em gênero (e número) de acordo com o substantivo que ele qualifica. Colocado de forma mais simples, se um substantivo é feminino, você geralmente adiciona um *e* ao final do adjetivo que combina com ele. Por exemplo:

- **un petit appartement** (*ã pêti-ta-par-t-mã*) (um pequeno apartamento)
- **une grande maison** (*yn grã mé-zõ*) (uma casa grande)

Mas isso nem sempre funciona! Em francês, há um ditado que diz **l'exception confirme la règle** (*le-ce-ssiõ cõ-firm' la ré-gle*) (a exceção confirma a regra). Assim, o feminino de **beau** (*bô*) (belo) é **belle** (*bél'*) (bela). Esse é apenas um exemplo de várias exceções.

Verbos

Um verbo expressa uma ação ou um estado. Essa ação possui um sujeito (como a pessoa que age ou a coisa ou ideia que existe). Esse sujeito pode ser um substantivo (como em "a folha cai") ou um pronome (como em "eles cantam").

Assim como em português, o verbo deve combinar com o sujeito (você não diz, obviamente, "a folha caem"). Em francês, os verbos têm uma terminação especial para cada sujeito (eu, tu, ele, nós, vós, eles), como em português.

Veja uma frase simples:

Les petits oiseaux chantent.

le pê-ti-zuá-zô chãt.

Os pequenos pássaros cantam.

Veja a seção "Os tempos simples: passado, presente e futuro" para ter mais detalhes sobre como conjugar verbos – isto é, fazer com que o verbo combine com o sujeito.

Advérbios

Um advérbio é uma palavra que modifica (descreve) um verbo, um adjetivo ou outro advérbio. Em português, a maioria dos advérbios termina em -mente, como em "Por favor, fale lentamente". Em francês, os advérbios terminam em **-ment**. A mesma frase, portanto, seria: "**Parlez lentement, s'il vous plaît**" (*par-lê lãt-mã sil' vu plé*).

A mesma frase agora está completa e diz o seguinte:

Les petits oiseaux chantent joyeusement.

le pê-ti-zuá-zô chãt juá-iôz-mã.

Os pequenos pássaros cantam alegremente.

Fazendo Perguntas

A forma usada em francês para fazer perguntas é bastante semelhante ao português. Veja os exemplos:

- A forma mais fácil, obviamente, é usar a entonação elevando sua voz ao final da sentença.
- **Vous avez un ticket?** (*vu-za-vê-ã tí-ké?*) (Você tem um ingresso/bilhete?)
- Outra forma fácil é adicionar **est-ce que** (*és-kâ*) ao início de uma frase.
- **Est-ce que vous avez un ticket?** (*és-kâ vu-za-vê-zã tí-ke?*) (Você tem um ingresso/bilhete?)

Observe que essas formas fáceis de fazer perguntas são válidas independentemente de qual seja o tempo verbal: presente, passado ou futuro.

Mas não se esqueça de que se uma palavra começar com uma vogal e vier depois de **est-ce que** (*és-kâ*), ele passa a ser **est-ce qu'** (*és-k*). Por exemplo:

- **Est-ce qu'elle a un ticket?** (*és-kél-a ã tí-ké?*) (Ela tem um ingresso/bilhete?)
- **Est-ce qu'il fait chaud?** (*és-kil'fé chô?*) (Está fazendo calor?)

Ou você pode usar uma terceira opção que ainda é bastante simples: fazer perguntas "invertidas", simplesmente colocando o sujeito depois do verbo.

- **Avez-vous une chambre libre?** (*a-vê vu yn chã-brre li-brre?*) (Você tem um quarto vago?)
- **Êtes-vous/Es-tu français?** (*ét vu/é-ty frã-cé?*) (Você(s) é(são) francês(eses)?)
- **Pouvez-vous/Voulez-vous remplir ça?** (*pu-vê vu/vu-lê vu rã-plí sá?*) (Você(s) pode(m)/você(s) quer(em) preencher isso?)
- **Peux-tu/Veux-tu remplir ça?** (*pâ ty/vâ ty rã-plí sá?*) (Você pode/você quer preencher isso?)

Esse tipo de pergunta é mais usado para as formas com **tu** e **vous**. Para você, é mais fácil não inverter nenhuma outra forma.

Dando Ordem aos Seus Sujeitos

A forma do imperativo de um verbo pode ser usada somente com as formas **tu** (você/tu, informal/singular), **vous** (vocês/vós, formal/plural) e **nous** (nós) dos verbos. Você não pode dar uma ordem a si mesmo, nem a ele, ela ou eles/elas. O sujeito do verbo não é usado, mas fica somente implícito. A Tabela 2-1 mostra alguns exemplos. Observe que os dois últimos exemplos mostram que o imperativo pode ser usado com todos os verbos, e não só com verbos que terminam em **-er**.

Tabela 2-1 Usando a Forma Imperativa dos Verbos

Frase	*Pronúncia*	*Significado*
Tu restes ici.	ty rést i-cí	Você fica aqui.
Reste ici! (Retire o s final em verbos que terminam em —er.)	rést i-cí	Fique aqui!
Vous ne parlez pas.	vu nâ par-lê pá	Você não fala.
Ne parlez pas!	nâ par-lê pá	Não fale!
Nous mangeons des frites.	nu mã-jõ dê frrit	Estamos comendo algumas batatas fritas.
Mangeons des frites!	mã-jõ dê frrit	Comamos algumas batatas fritas!
Allons-y!	a-lõ-zí	Vamos (lá)!
Finis ton lait!	fi-ní tõ lé	Termine o seu leite!

Para comandos ou ordens negativas, você precisa colocar o verbo entre **ne...pas** (*nâ pá*) (não) para negações simples, incluindo qualquer pronome, tal como **vous**, que acompanhe o verbo. Veja estes exemplos:

- **N'attendez pas Paul.** (*na-tã-dê pá Pôl'*) (Não espere por Paulo.)
- **Ne vous inquiétez pas.** (*nê vu-zã-kié-tê pá*) (Não se preocupe.)

Como em português, nunca use o sujeito em um comando, seja ele negativo ou positivo.

Verbos Regulares e Irregulares

Tanto em francês, como em português, a forma verbal que não possui nenhuma marcação para indicar sujeito ou tempo (passado, presente, futuro) para a ação é chamada de forma infinitiva. Por exemplo, os infinitivos em português terminam em **-ar**, **-er**, **-ir**, **-or**, como em "falar", "vender", "ir" e "supor". Em francês, os infinitivos possuem terminações especiais, tais como **-er**, **-ir** ou **-re**: **aller** (*a-lê*) (ir), **parler** (*par-lê*) (falar), **finir** (*fi-nir*) (terminar), **être ou ne pas être** (*é-trr u nâ pá-zé-trrâ*) (ser ou não ser).

A conjugação (a adição dos marcadores ao sujeito e ao tempo) dos verbos é baseada na forma infinitiva. Em português e em francês, os verbos são regulares ou irregulares em suas conjugações.

Os verbos regulares seguem um padrão comum. Por exemplo, em português, o verbo **amar** é regular, pois ele mantém seu radical **am-** inalterado:

> eu amo, tu amas/você ama, ele ama, nós amamos, vós amais/vocês amam, eles amam.

Amar é um verbo regular em português, assim como muitos outros verbos que seguem essa mesma conjugação.

Mas o verbo **ser** é irregular. O radical do verbo varia de acordo com o sujeito:

> eu sou, tu és/você é, ele é, nós somos, vós sois/vocês são, eles são.

Verbos regulares

Em francês, os verbos regulares pertencem a três grandes grupos que são determinados pelas terminações de seus infinitivos:

- O maior grupo, cujo infinitivo termina em **-er**, tal como: **acheter** (*a-chã-tê*) (comprar), **chanter** (*chã-tê*) (cantar), **parler** (*par-lê*) (falar) e **donner** (*dô-nê*) (dar).
- O grupo cujo infinitivo termina em **-ir**, tal como: **finir** (*fi-nir*) (terminar) e **choisir** (*chuá-zir*) (escolher).
- O grupo cujo infinitivo termina em **-re**, tal como: **attendre** (*a-tã-drrâ*) (esperar) e **vendre** (*vã-drrâ*) (vender).

Todos esses verbos são regulares em francês no sentido de que eles seguem um padrão definido pertencente a cada família e, dentro de cada família, são conjugados da mesma forma com a mesma terminação, dependendo do sujeito e dos tempos. A seção, "Os tempos simples: passado, presente e futuro", mostra como conjugar esses verbos regulares.

Verbos irregulares

Um verbo irregular significa que as formas verbais não seguem o padrão regular dos verbos que têm aquela mesma terminação. É preciso um esforço extra para memorizar as conjugações desses verbos.

Os mais importantes são:

- **être** (*é-trrâ*) (ser/estar)
- **avoir** (*a-vuar*) (ter)

Eles não só são usados em muitas expressões, mas também servem como verbos auxiliares – para formar os tempos no passado.

Outros verbos auxiliares irregulares comuns são **pouvoir** (*pu-vuar*) (poder), **vouloir** (*vu-luar*) (querer) ou **devoir** (*de-vuar*) (dever/precisar). Eles exigem um verbo depois deles na forma infinitiva, como nos seguintes exemplos:

- **Tu peux traduire.** (*ty pâ trra-dy-ir*) (Você pode traduzir.)
- **Vous pouvez choisir.** (*vu pu-vê chuá-zir*) (Você(s) pode(m) escolher.)
- **Pouvez-vous signer ici?** (*pu-vê vu si-nhê icí?*) (Você(s) pode(m) assinar aqui?)
- **Je veux changer de l'argent.** (*jâ vâ chã-gê dâ lar-jã*) (Quero trocar dinheiro.)
- **Il doit attendre un peu.** (*il' duá-ta-tã-drrã-pâ*) (Ele tem que esperar um pouco.)

Veja a conjugação desses verbos irregulares na seção "Os tempos simples: passado, presente e futuro".

Os Tempos Simples: Passado, Presente e Futuro

O "tempo" de um verbo significa quando ele acontece. Portanto, se você quer expressar uma ação ou um estado que acontece no presente, use o tempo do presente. Se ainda não aconteceu, use o tempo do futuro. Se aconteceu no passado, use o tempo do passado.

Em francês, você pode expressar o tempo do passado de várias maneiras, mas a mais simples e mais comum é **le passé composé** (*lâ pa-ssê cõ-pô-zê*). A palavra **composé** (composto) significa que ele é formado por mais de um componente. Portanto, para esse tempo, você usa duas partes: um verbo auxiliar (como **avoir** ou **être**) e o particípio do passado do verbo da ação (a forma que, em português, geralmente termina em -ado ou -ido).

Exemplos:

J'ai chanté. (*jâ chã-tê*) (Eu cantei.)

Il est parti. (*il' é par-tí*) (Ele saiu.)

Se a ação vai acontecer no futuro, os franceses utilizam uma forma igual ao português "ir" com o verbo **aller** (*a-lê*) (ir).

Exemplo:

Demain Sylvie va voyager. (*dâ-mã sil-ví vá vuá-iá-gê*) (Amanhã Silvia vai viajar.)

Para ter uma ideia de como é um verbo irregular nesses três tempos simples, a lista a seguir mostra como conjugar o verbo **parler** (*par-lê*) (falar) com os pronomes sujeito eu, você(s) e ele/ela.

Présent (*prre-zã*)

Je parle (*jâ párle*)

Vous parlez (*vu par-lê*)

Il/elle parle (*il'/él' párle*)

Passé composé (*pa-ssê cõ-po-zê*)

J'ai parlé (*je par-lê*)

Vous avez parlé (*vu-za-vê par-lê*)

Il/elle a parlé (*il'/él' a par-lê*)

Futur (*fy-tyr*)

Je vais parler (*jâ vé par-lê*)

Vous allez parler (*vu-za-lê par-lê*)

Il/elle va parler (*il'/el' vá par-lê*)

Agora, você pode orgulhosamente dizer: **Bientôt, je vais parler français** (*biã-tô jâ vé par-lê frrã-cé*) (Em breve, vou falar francês.)

Usando o tempo do passado com avoir

Agora, para ir um pouco mais a fundo no tempo do passado: em francês, o tempo do passado é formado por um verbo auxiliar, **avoir** (*a-vuar*) (ter) ou **être** (*é-trrâ*) (ser/estar) e o particípio do passado. A maioria dos particípios do passado usa **avoir** (*a-vuar*) (veja a próxima seção para saber os verbos que usam **être** no tempo do passado). Antes de continuar, reveja a conjugação de **avoir** (*a-vuar*) na Tabela 2-2.

Tabela 2-2 Conjugação do Verbo Avoir

Conjugação	*Pronúncia*
j'ai	je
tu as	ty a
il/elle a	il'/él' a
nous avons	nu zavõ
vous avez	vu zavê
ils/elles ont	il'/él' zõ

Os verbos que têm particípio do passado regular são formados removendo-se a terminação do infinitivo e adicionando as seguintes terminações:

- O particípio do passado dos verbos **-er** termina em **é**:

  téléphoner (*tê-lê-fõ-nê*) (telefonar):

  J'ai téléphoné à Monique. (*je tê-lê-fõ-nê a mõ-ník*) (Eu telefonei para Monique.)

  regarder (*re-gar-dê*) (ver/assistir)

  Nous avons regardé un film. (*nu za-võ re-gar-dê ã film'*) (Assistimos a um filme.)

- O particípio do passado dos verbos **-ir** termina em **i**:

  choisir (*chuá-zir*) (escolher):

  Il a choisi une banane. (*il' a chua-zí yn ba-nãn'*) (Ele escolheu uma banana.)

  finir (*fi-nir*) (terminar):

  Elles ont fini leur conversation. (*él' zõ fi-ni lâr cõ-vêr--sa-ciõ*) (Elas terminaram sua conversa.)

- O particípio do passado para os verbos **-re** termina em **u**:

  attendre (*a-tã-drrâ*) (esperar):

Tu as attendu le bus (*ty a a-tã-dy lâ byz*) (Você esperou o ônibus.)

répondre (*rê-põ-drrê*) (responder):

Vous avez répondu à la question (*vu za-vê rê-põ-dy a la kes-tiõ*) (Você respondeu à pergunta.)

O francês também possui vários particípios do passado irregulares. Os verbos irregulares não têm um padrão definido como os verbos regulares e, por isso, é preciso memorizá-los. A Tabela 2-3 apresenta os particípios do passado irregulares mais comuns.

Tabela 2-3 Particípio do Passado Irregular Comum

Infinitivo	*Particípio do passado*	*Tradução*
être (é-trrâ) (ser/estar)	été (êtê)	sido/estado
avoir (a-vuar) (ter)	eu (y)	tido
faire (fér) (fazer)	fait (fé)	feito
pouvoir (pu-vuar) (poder)	pu (py)	podido
vouloir (vu-luar) (querer)	voulu (vu-ly)	querido

A lista a seguir dá alguns exemplos de como usar os particípios do passado de verbos irregulares em uma frase:

- **Nous avons été en retard.** (*nu za-võ êtê ã rê-tár*) (Estávamos atrasados.)
- **Il a eu un message.** (*il'a y ã me-ssa-ge*) (Ele tinha uma mensagem.)

- **Qu'est-ce que tu as fait?** (*kes-kâ ty a fé?*) (O que você fez?)
- **Vous avez pu téléphoner à votre bureau** (*vu za-vê py tê-lê-fõ-nê a vó-trrâ by-rrô*) (Você pode telefonar para seu escritório.)
- **J'ai voulu un sandwich.** (*je vu-ly ã sãduítch*) (Eu quis um sanduíche.)

Usando o tempo do passado com être

Existem 16 verbos irregulares que são conjugados com o verbo auxiliar **être** em vez de **avoir**. A maioria desses verbos é formada por verbos de movimento. A Tabela 2-4 apresenta a conjugação de **être**.

Tabela 2-4 Conjugação do Verbo Être

Conjugação	*Pronúncia*
Je suis	jâ suí
tu es	ty é
il/elle est	il'/él' é
nous sommes	nu sóm'
vous êtes	vu zéte
ils/elles sont	il'/él' sõ

A principal diferença com relação a esses 16 verbos é que o particípio do passado deve concordar em número e gênero com o sujeito. Felizmente, na maioria das vezes, a pronúncia não muda.

Para ilustrar o que queremos dizer, vamos usar o particípio do passado de **aller** (*a-lê*) (ir):

- Suponha que Janine, uma menina, dissesse que havia ido aos correios. Ela diria:

  Je suis allée à la poste. (*jâ suí zalê a la póst*)

  No entanto, se João, um menino, dissesse a mesma coisa, soaria igual, mas a grafia seria diferente:

  Je suis allé à la poste. (*jâ suí zalê a la póst*)
- Veja uma mãe dizendo ao seu filho "Você foi aos correios": **Tu es allé à la poste.** (*ty é a-lê a la póst*)

  E agora dizendo a mesma coisa à sua filha:

  Tu es allée à la poste. (*ty é a-lê a la póst*)

Viu a diferença na grafia do particípio do passado? Veja mais alguns exemplos:

- **Elle est allée à la poste.** (*él'ét a-lê a la póst*) (Ela (feminino singular) foi aos correios.)
- **Nous sommes allés à la poste.** (*nu sóm'zalê a la póst*) (Nós (masculino plural) fomos aos correios.)
- **Vous êtes allées à la poste.** (*vu zét a-lê a la póst*) (Vocês (feminino plural) foram aos correios.)
- **Ils sont allés à la poste.** (*il'sõ a-lê a la póst*) (Eles (masculino plural) foram aos correios.)

As regras usadas para formar os particípios do passado concordam com o número e o gênero do sujeito da seguinte forma:

- Se o sujeito for masculino e singular, o particípio do passado não muda. Ele termina em **é**, **i** ou **u**, conforme o caso. O particípio do passado muda a grafia somente nos seguintes casos:
- Se o sujeito for feminino singular, o particípio do passado termina em **-e**.
- Se o sujeito for masculino plural, o particípio do passado termina em **-s**.
- Se o sujeito for feminino plural, o particípio do passado termina **-es**.

A Tabela 2-5 mostra os 16 particípios que formam seu passado com **être**:

Tabela 2-5 Particípios que Formam o Passado com Être

Particípio	*Pronúncia*	*Infinitivo*	*Tradução*
Verbos que expressam chegada			
allé	a-lê	aller	ir
arrivé	arrivê	arriver	chegar
entré	ã-trrê	entrer	entrar
venu	ve-ny	venir	vir
Verbos que indicam movimento para cima e para baixo			
descendu	dê-sã-dy	descendre	descer
monté	mõ-tê	monter	subir
resté	res-tê	rester	ficar
tombé	tõ-bê	tomber	cair
Verbos que indicam saída			
parti	par-tí	partir	partir/ir embora
passé	passê	passer	passar por
rentré	rã-trrê	rentrer	voltar para casa
sorti	sór-tí	sortir	sair
Verbos que indicam (com) vida ou morte			
né	nê	naître	nascer
mort	mór	mourir	morrer

(continua)

décédé	decede	décéder	falecer
devenu	deveny	devenir	tornar-se

Formando o futuro com aller

Uma maneira de formar o tempo do futuro é usar o verbo auxiliar **aller** (*a-lê*) (ir) e um verbo no infinitivo. Quanto a isso, o tempo do futuro em francês é igual ao português: vou ler amanhã, ele vai se casar. A Tabela 2-6 mostra a conjugação do verbo **aller**, que exige um pouco de atenção por ser extremamente irregular.

Tabela 2-6 Conjugação do verbo aller

Conjugação	*Pronúncia*
je vais	jê vé
tu vas	ty vá
il/elle va	il'/él' vá
nous allons	nu za-lõ
vous allez	vu za-lê
ils/elles vont	il'/él' võ

O tempo do futuro é muito fácil, pois você não precisa lembrar-se de nenhum particípio do passado. Veja os seguintes exemplos:

- **Tu vas nager demain.** (*ty vá na-gê dê-mã*) (Você vai nadar amanhã.)
- **Nous allons aller à Paris.** (*nu za-lõ a-lê a Pa-rrí*) (Vamos para Paris.)

Conjugando os tempos

Esta seção mostra como conjugar todos os três tempos de vários verbos comuns. Lembre-se de que todos os verbos regulares são conjugados da mesma maneira e, por isso, você pode voltar a esta seção sempre que quiser saber como conjugar um novo verbo regular.

A Tabela 2-7 mostra a conjugação do verbo **parler** (*par-lê*) (falar), um verbo regular que termina em **-er**. O particípio do passado é **parlé** (*par-lê*) (falado):

Tabela 2-7 Er Regular: Parler (Falar)

	Presente	*Passado*	*Futuro*
je/j' (eu)	parle	ai parlé	vais parler
tu (tu, você (informal))	parles	as parlé	vas parler
il/elle (ele/ela)	parle	a parlé	va parler
nous (nós)	parlons	avons parlé	allons parler
vous (vós, você (formal))	parlez	avez parlé	allez parler
ils/elles (eles/elas)	parlent	ont parlé	vont parler

A Tabela 2-8 mostra a conjugação do verbo **finir** (*fi-nir*) (terminar), um verbo regular que termina em **-ir**. O particípio do passado é **fini** (*fi-ni*) (terminado):

Tabela 2-8 -Ir Regular: Finir (Terminar)

	Presente	*Passado*	*Futuro*
je/j' (eu)	finis	ai fini	vais finir
tu (tu, você (informal))	finis	as fini	vas finir
il/elle (ele/ela)	finit	a fini	va finir
nous (nós)	finissons	avons fini	allons finir

(continua)

vous (vós, você (formal))	finissez	avez fini	allez finir
ils/elles (eles/ elas)	finissent	ont fini	vont finir

A Tabela 2-9 mostra a conjugação do verbo **vendre** (*vã-drrâ*) (vender), um verbo regular que termina em **-re**. O particípio do passado é **vendu** (*vã-dy*) (vendido):

Tabela 2-9 -Re Regular: Vendre (Vender)

	Presente	*Passado*	*Futuro*
je/j' (eu)	vends	ai vendu	vais vendre
tu (tu, você (informal))	vends	as vendu	vas vendre
il/elle (ele/ela)	vend	a vendu	va vendre
nous (nós)	vendons	avons vendu	allons vendre
vous (vós, você (formal))	vendez	avez vendu	allez vendre
ils/elles (eles/ elas)	vendent	ont vendu	vont vendre

A Tabela 2-10 mostra a conjugação do verbo irregular **avoir** (*a--vuar*) (ter). O particípio do passado é **eu** (*y*) (tido):

Tabela 2-10 Avoir (Ter) Irregular

	Presente	*Passado*	*Futuro*
je/j' (eu)	ai	ai eu	vais avoir
tu (tu, você (informal))	as	as eu	vas avoir
il/elle (ele/ela)	a	a eu	va avoir

(continua)

nous (nós)	avons	avons eu	allons avoir
vous (vós, você (formal))	avez	avez eu	allez avoir
ils/elles (eles/ elas)	ont	ont eu	vont avoir

A Tabela 2-11 mostra a conjugação do verbo irregular **être** (*é-tr-rê*) (ser/estar). O particípio do passado é **été** (*êtê*) (sido/estado):

Tabela 2-11 Être (Ser/Estar) Irregular

	Presente	*Passado*	*Futuro*
je/j' (eu)	suis	ai été/e	vais être
tu (tu, você (informal))	es	as été/e	vas être
il/elle (ele/ela)	est	a été/e	va être
nous (nós)	sommes	avons été	allons être
vous (vós, você (formal))	êtes	avez été	allez être
ils/elles (eles/ elas)	sont	ont été	vont être

Estudando Pronomes

Pronomes são palavrinhas bastante úteis que você pode usar para evitar repetição. Em vez de repetir "Jane fez isso. Jane fez aquilo", você pode dizer "Jane fez isso. Ela fez aquilo". Esta seção mostra alguns dos diferentes usos dos pronomes.

Pronomes sujeito

Os pronomes sujeito são: eu, tu/você, ele/ela, nós, vós/você, eles/elas e substituem o sujeito de uma oração. A Tabela 2-12 os traz para você:

Tabela 2-12 Pronomes Sujeito

Pronome	*Pronúncia*	*Português*
je/j'	jâ/j	eu
tu	ty	tu, você (informal)
il/elle	il'/él'	ele/ela
nous	nu	nós
vous	vu	vós, você (formal)
ils/elles	il'/él'	eles/elas

Veja um exemplo:

Janine et Marie parlent. **Elles parlent.**

(*Janine ê Marrí pár-le*) (*Él' pár-le*)

(Janine e Marie falam.) (Elas falam.)

Pronomes objeto direto

Em uma conversa, não soaria muito natural se você ficasse repetindo as mesmas palavras: "Eu gostaria de um quarto. Posso ver o quarto? Vamos ver o quarto".

Dizer "Eu gostaria de ver um quarto. Posso vê-lo? Vamos vê-lo" soa muito melhor, não é?

Portanto, remova o objeto e substitua-o por **le**, **la**, **l'** ou **les**, se ele for feminino ou masculino, singular ou plural, mas tenha cuidado: você deve colocá-lo na frente do verbo. Veja os seguintes exemplos:

Il voit le guide/ l'hôtel. **Il le voit.**

(*il' vuá lâ guíde/lô-tél'*) (*il' lê vuá*).

Ele vê o guia/o hotel.	Ele o vê.
Nous suivons la réceptionniste.	**Nous la suivons.**
(*nu syi-võ la re-cep-ciõ-níst*)	(*nu la syi-võ*)
Nós seguimos a recepcionista.	Nós a seguimos.

Elle vérifie les dates.	**Elle les vérifie.**
(*él' ve-rri-fí le dat*)	(*él' le ve-rri-fí*)
Ela verifica as datas.	Ela as verifica.

Os outros pronomes objeto são ainda mais fáceis, pois existe apenas uma forma para o masculino e o feminino. Veja alguns exemplos:

- **Elle me regarde.** (*él' mâ rê-gárde*) (Ela olha para mim.)
- **Je te vois.** (*Jâ tê vuá*) (Eu te vejo.)
- **Il nous suit.** (*il' nu suí*) (Ele nos segue.)
- **La réceptionniste vous écoute.** (*la re-cep-ciõ-nist vu zê-kút*) (A recepcionista ouve você.)

Naturalmente, há uma exceção à regra anterior: quando você tem um verbo auxiliar mais um infinitivo em sua frase, é preciso colocar o pronome objeto na frente da forma infinitiva.

Il veut voir la chambre.	**Il veut la voir.**
(*il' vâ vuar la chã-brre*)	(*il vâ la vuar*)
Ele quer ver o quarto.	Ele quer vê-lo.

Objetos de preposições

Depois de uma preposição, tal como por, com, sem, e assim por diante, os pronomes me, te, se, o/a, nos, vos ou os/as se transformam em **moi**, **toi**, **lui/elle**, **nous**, **vous** ou **eux/elles** (*muá, tuá, lyi/él', nu, vu, â/él'*). Veja os pronomes pessoais depois das preposições:

- **pour moi** (*pur muá*) (para mim)
- **avec moi** (*avék muá*) (comigo)
- **sans toi** (*sã tuá*) (sem você)
- **pour lui/elle** (*pur lyi/él'*) (por/para ele/ela)
- **avec nous** (*avék nu*) (conosco)
- **sans vous** (*sã vu*) (sem vocês)
- **pour eux/elles** (*pur â/él'*) (por/para eles/elas)

Pronomes indiretos

Na frase **Ça convient à Mme Paulet** (*sá cõ-viã a ma-dám' pô-lé*) (Isso convém à Sra. Paulet), **à Mme Paulet** é o objeto indireto da frase. Podemos substituir o objeto indireto por um pronome objeto indireto: **Ça lui convient** (*sa lyi cõ-viã*) (Isso lhe convém). Veja os outros pronomes:

- **Ça me convient**. (*sá mâ cõ-viã*) (Isso me convém.)
- **Ça te convient.** (*sá tâ cõ-viã*) (Isso te/lhe convém.)
- **Ça lui convient.** (*sá lyi cõ-viã*) (Isso lhe convém.)
- **Ça nous convient.** (*sá nu cõ-viã*) (Isso nos convém.)
- **Ça vous convient.** (*sá vu cõ-viã*) (Isso vos/lhes convém.)
- **Ça leur convient.** (*sá lâr cõ-viã*) (Isso lhes convém.)

A propósito, somente **lui** e **leur** diferem dos pronomes objeto direto (que são **le, la, les**); os outros coincidem.

Todas as Palavrinhas: Gênero, Artigos e Adjetivos

Todas essas palavrinhas e terminações de palavras podem parecer triviais quando você está deparando-se com uma língua pela primeira vez, mas a assimilação delas enquanto você aprende o vocabulário facilita muito a vida a longo prazo. Esta seção trata das terminações dos gêneros, artigos e adjetivos.

O uso do gênero

Lembrar-se do gênero dos substantivos pode, à primeira vista, parecer um obstáculo quase impossível para aprender a falar francês. Mas não se preocupe! Nesta seção, apresentamos algumas orientações que tornam mais fácil saber imediatamente o gênero de muitas palavras.

Com algumas exceções, a terminação de um substantivo é uma boa indicação de seu gênero. A lista a seguir mostra algumas terminações comuns de substantivos masculinos:

- **-age** (*áge*)

  le fromage (*lâ frro-má-ge*) (queijo)

  l'étage (*le-ta-ge*) (o andar (pavimento))
- **-eur** (*âr*)

  l'auteur (*lô-târ*) (autor)

  le bonheur (*lâ bõ-nâr*) (felicidade)
- **-isme**

  le capitalisme (*lâ ca-pi-ta-lísm'*) (capitalismo)

  le féminisme (*lâ fê-mi-nísm'*) (feminismo)
- **-ment** (*mã*)

  l'appartement (*la-par-tê-mã*) (apartamento)
- vogais que não sejam o **-e**

  le cinéma (*lâ ci-ne-má*) (cinema)

  le bureau (*lâ by-rrô*) (escritório)

E veja algumas terminações comuns para substantivos femininos.

- **-ade** (áde)
  la promenade (*la prro-mê-nád*) (caminhada)
  la limonade (*la li-mõ-nad*) (limonada)
- **-ance/-ence** (*ãs*)
  la naissance (*la ne-ssãs*) (nascimento)
  la différence (*la di-fe-rrãs*) (diferença)
- **-oire** (*uar*)
  la mémoire (*la mê-muar*) (memória)
  la victoire (*la vic-tuar*) (vitória)
- **-sion/tion** (*siõ*)
  l'impression (*lã-prre-siõ*) (impressão)
  la condition (*la cõ-di-siõ*) (condição)
- **-son** (*sõ*)
  la saison (*la se-zõ*) (estação)
  la maison (*la me-zõ*) (casa)
- **-é/ée** (*ê*)
  la liberté (*la li-ber-tê*) (liberdade)
  l'idée (*li-dê*) (ideia)

Agora, em vez de memorizar o gênero de cada substantivo, você pode tentar adivinhá-lo com mais chances de acertar com base nas terminações. Quando puder imediatamente reconhecer o gênero de um substantivo, você saberá instantaneamente qual pronome sujeito da terceira pessoa usar:

- **Il** (masculino)
- **Elle** (feminino)

Um artigo sobre artigos

Um substantivo é quase sempre precedido de uma palavrinha chamada artigo que lhe diz se um substantivo é masculino ou feminino, singular ou plural. **Le** (*lâ*), **la** (*la*), **l'** (*él'a-pós-trróf*) e **les** (*le*) são chamados artigos definidos, pois se referem a um objeto ou a uma pessoa já mencionadas, como "o"/"a" em português. **Le** se refere a um objeto masculino, **la** a um objeto feminino e **l'** a um objeto que começa com uma vogal, que pode ser masculino ou feminino. **Les** é a forma comum do plural.

Un (*ã*), **une** (*yn*) e **des** (*de*) se referem a objetos indeterminados, como "um"/ "uma" em português. Essas palavras são chamadas artigos indefinidos. No singular, o francês tem, obviamente, uma forma masculina (**un**), uma forma feminina (**une**) e uma forma comum para o plural (**des**). A seguir, veja alguns exemplos de como os falantes de francês utilizam os artigos indefinidos:

- **Paris est une grande ville. La ville est belle.** (*pa-rrí e-tyn grãde víle'. la víle' é béle'*) (Paris é uma cidade grande. A cidade é bela.)
- **Je voudrais un café. Le café est bon.** (*jâ vu--drré-zã cafê. lê cafê é bõ*) (Eu gostaria de um café. O café é bom.)

Lidando com pronomes adjetivos possessivos

Os pronomes adjetivos possessivos – meu teu, seu, nosso, e assim por diante – variam para "concordar" com o gênero e o número (singular ou plural) do substantivo, assim como os artigos (**le, la, les**) (*lâ, la, lê*). Veja o resumo rapidinho:

Substantivo masculino no singular:

- **mon, ton, son chèque** (*mõ, tõ, sõ chék*): meu, teu/seu cheque, o cheque dele/dela
- **notre, votre, leur chèque** (*nótrre, vótrre, lâr chék*): nosso, vosso/seu cheque, o cheque deles/delas

Substantivo feminino no singular:

- **ma, ta, sa carte** (*ma, ta, sa cárte*): minha, tua/sua carta, a carta dele/dela
- **notre, votre, leur carte** (*nótrre, vótrre, lâr carte*): nossa, vossa/sua carta, a carta deles/delas

Substantivo masculino ou feminino no plural:

- **mes, tes, ses dollars** (*me, te, se dolár*): meus, teus/seus dólares, os dólares dele/dela
- **nos, vos, leurs dollars** (*no, vo, lâr dolár*): nossos, vossos/seus dólares, os dólares deles/delas

Debate Formal/Informal

A maneira como você trata alguém em francês depende de como você conhece essa pessoa. Alguém que você encontra pela primeira vez (a não ser que seja uma criança) espera que o trate usando o **vous** mais formal – uma forma polida e respeitosa para o "você" em português.

Portanto, comece a praticar os cumprimentos usando **vous** e a forma verbal correspondente (que termina em **-ez**) em todas as circunstâncias, esteja você se dirigindo a uma ou mais pessoas, pois **vous** é usado tanto no singular quanto no plural.

Não use a forma informal pela primeira vez, o simpático **tu**, pois assim você evita cometer erros de etiqueta.

Em pouco tempo, você vai familiarizar-se com o jeito francês e a língua francesa e, depois, escolher entre **tu** e **vous** vai se tornar um indicativo do seu grau de integração com os costumes franceses.

Lembre-se: em francês, você pareceria estranho, na melhor das hipóteses, e mal educado, na pior das hipóteses, usando **tu** para tratar um estranho ou um novo conhecido. No entanto, se você for a Quebec, vai rapidamente descobrir que o **tu** familiar é usado de forma muito mais liberal, o tempo todo.

Para obter mais informações sobre quando e onde usar **tu** ou **vous**, consulte o capítulo 4.

Capítulo 3

Sopa de Números: Contagem de Todos os Tipos

Neste capítulo

- Usando números cardinais e ordinais
- Dizendo as horas
- Dizendo os dias da semana, meses do ano e as estações
- Gastando dinheiro

Os números fazem o mundo girar – ou seria o dinheiro? Bem, provavelmente são os dois; por isso, este capítulo traz as frases relativas a números e dinheiro que você precisa saber para se virar no mundo. E mostra também como dizer as horas e os meses do ano.

1, 2, 3: Números cardinais

Saber os velhos e puros números cardinais de 0 a cerca de 100 permite que você expresse, por exemplo, quanto dinheiro tem em sua carteira, quantos carneirinhos deve contar para dormir, quantas horas terá que esperar até que o avião decole e, obviamente, dizer as horas. Veja os números na tabela 3-1.

Cuidado com os números que começam em 70. Eles seguem um padrão um pouco diferente do qual você está acostumado a usar.

Tabela 3-1 Números cardinais

Francês	*Pronúncia*	*Número*
un	ã	1
deux	dâ	2
trois	trruá	3
quatre	catrre	4
cinq	sãk	5
six	sis	6
sept	sét	7
huit	yít	8
neuf	nâf	9
dix	dis	10
onze	õz	11
douze	duz	12
treize	trréz	13
quatorze	catârz	14
quinze	kãz	15
seize	séz	16
dix-sept	dissét	17
dix-huit	dizyít	18
dix-neuf	diznâf	19
vingt	vãn	20
vingt et un	vãt ê ã	21
vingt-deux	vãt dâ	22

(continua)

vingt-trois	vã trruá	23
vingt-quatre	vãt catrre	24
vingt-cinq	vãt sãk	25
vingt-six	vãt sis	26
vingt-sept	vãt sét	27
vingt-huit	vãt yít	28
vingt-neuf	vãt nâf	29
trente	trãt	30
quarante	carãt	40
cinquante	sãkãt	50
soixante	suazãt	60
soixante-dix	suazãt dis	70
soixante onze	suazãt õz	71
soixante douze	suazãt duz	72
quatre-vingt	catrre vã	80
quatre-vingt-un	catrre vãt ã	81
quatre-vingt-deux	catrre vã dâ	82
quatre-vingt-dix	catrre vã dis	90
quatre-vingt-onze	catrre vãt õz	91
quatre-vingt-douze	catrre vã duz	92
cent	sã	100
cent un	sãt ã	101
cent deux	sãt dâ	102

Na Suíça e na Bélgica, geralmente se usam as formas mais fáceis **septante** (*sétãt*) (70) e **nonante** (*nõ-nãt*) (90). Em algumas partes remotas da Suíça, usam-se também as formas **huitante** (*yitãt*) (80) ou **octante** (*octãt*) (80)

Descobrindo os Números Ordinais

Os números ordinais são muito importantes para a conversação, principalmente se você for seguir ou dar coordenadas de direção. Algumas regras simples podem ajudar você a reconhecer os números ordinais:

- Com exceção de **premier** (*prrê-miê*) (primeiro), todos têm a terminação **-ième** depois do número (como o -ésimo em português).
- Se o número cardinal termina em **-e**, remove-se o **-e**: por exemplo, **quatre** (*catrre*) (quatro) fica **quatrième** (*catrriém'*) (quarto).

Un (ã) (um), **cinq** (sãk) (cinco) e **neuf** (nâf) (nove) possuem formas especiais, como pode ser visto na tabela 3-2.

Tabela 3-2 Números ordinais

Palavra (numeral)	*Pronúncia*	*Português*
premier (1e)	prrê-miê	primeiro
deuxième (2e)	dâziém'	segundo
troisième (3e)	trruaziém'	terceiro
quatrième (4e)	catrriém'	quarto
cinquième (5e)	sãkiém'	quinto
sixième (6e)	siziém'	sexto
septième (7e)	sétiém'	sétimo

(continua)

huitième (8e)	yitiém'	oitavo
neuvième (9e)	nâviém'	nono
dixième (10e)	diziém'	décimo
onzième (11e)	õziém'	décimo-primeiro
douzième (12e)	duziém'	décimo-segundo
treizième (13e)	trréziém'	décimo-terceiro
quatorzième (14e)	catârziém'	décimo-quarto
quinzième (15e)	kãziém'	décimo-quinto
seizième (16e)	séziém'	décimo-sexto
dix-septième (17e)	dissétiém'	décimo-sétimo
dix-huitième (18e)	dizytiém'	décimo-oitavo
dix-neuvième (19e)	diz nâviém'	décimo-nono
vingtième (20e)	vãtiém'	vigésimo
vingt et unième (21e)	vãt ê yniém'	vigésimo-primeiro
vingt-deuxième (22e)	vã dâziém'	vigésimo-segundo
trentième (30e)	trãtiém'	trigésimo
quatre-vingtième (80e)	catrre vãtiém'	octagésimo
quatre-vingt-deuxième (82e)	catrre vã dâziém'	octagésimo-segundo
centième (100e)	sãtiém'	centésimo
deux centième (200e)	dâ sãtiém'	ducentésimo

Veja algumas frases comuns usando números ordinais:

- **L'appartement est au troisième.** (*la-par-tê-mã é-tô trruaziém'*) (O apartamento fica no terceiro andar.)

  Duas coisas sobre ordinais e andares: você pode usar o número ordinal sozinho, sem dizer **étage** (*e-tá-ge*) (andar) em seguida. Além disso, como o térreo é chamado de **le rez-de-chaussé** (*lê rê-dê-chôcê*) (nível da rua), o primeiro andar (**le premier**) é o que muitos consideram o segundo andar.
- **Dans quel arrondissement est le restaurant?** (*dã kél' arrõ-diss-mã é lê restôrrã?*) (Em qual distrito fica o restaurante?)
- **Il est dans le deuxième.** (*il' é dã lê dâziém'*) (Ele fica no segundo distrito.)
- **Prenez la troisième rue à droite, et c'est tout droit.** (*prrê-nê la trruaziém' ry a drruát ê cé tu drruá*). (Pegue a terceira rua à direita e siga em frente.)

Dizendo as Horas

Você não gostaria nada de perder seu avião nem um grande concerto, só porque não sabe como perguntar que horas são. Esta seção ensina exatamente isso.

Contando as horas

Tanto na Europa quanto na parte francesa do Canadá, use o relógio de 24 horas (horário militar). Para dizer que horas são, basta adicionar o número de minutos à hora, usando um *h* minúsculo para separar a hora dos minutos, em vez de dois pontos. Veja alguns exemplos:

- **Il est 11h (onze heures).** (*il'é õz âr*) (São 11 horas.)
- **Il est 11h30 (onze heures trente).** (*il'é õz âr trãt*) (São 11h30 (onze e trinta).)
- **Il est 16h (seize heures).** (*il'é séz âr*) (São 16h (dezesseis horas).)
- **Il est 16h10 (seize heures dix).** (*il'é séz âr dis*) (São 16h10 (dezesseis e dez).)

Para expressar as horas antes da hora certa ("são dez para as duas"), os franceses utilizam **moins** (*muã*), que significa "menos".

- **Il est huit heures moins dix.** (*il'é yít âr muã dis*) (São 7h50 (sete e cinquenta).)
- **Il est dix heures moins vingt-cinq.** (*il'é diz âr muã vãt sãk*) (São 9h35 (nove e trinta e cinco).)

Em francês, usa-se também **et quart** (*ê car*) para indicar quinze minutos depois da hora; **et demi** (*ê dê-mí*), para meia-hora; e **moins le quart** (*muén lê car*), para quinze minutos para a hora. Veja alguns exemplos:

- **Il est 9h15 (neuf heures et quart).** (*il'é nâf âr ê car*) (São 9h15 (nove e quinze).)
- **Il est une heure moins le quart.** (*il'é yne âr muén lê car*) (São 12h45.)

Palavras a Saber

Quel heure est-il?	*kél'âr ét-il'?*	Que horas são?
Il y a 10 (dix)	*il'iá dis*	10 minutos atrás (minutos pronuncia-se *minyt*)
Dans 20 (vingt)	*dã vã*	em 20 minutos (minutos pronuncia-se *minyt*)

(continua)

Et quart	*ê car*	e 15 (minutos)
Et demi(e)	*ê dê-mí*	e meia (hora)
Moins vingt	*muã vã*	vinte (minutos) para as
Moins le quart	*muã lê car*	15 (minutos) para

Sendo pontual

Veja algumas frases relacionadas a horas que podem ser bastante úteis ao fazer planos de viagem, marcar encontros com amigos, marcar consultas, entre outras coisas:

- **demain matin** (*dê-mã ma-tã*) (Amanhã de manhã.)
- **tôt le matin** (*tô lê ma-tã*) (De manhã cedo.)
- **demain après-midi** (*dê-mã aprré midí*) (Amanhã à tarde.)
- **Il est trop tôt.** (*il' é trrô tô*) (É muito cedo.)
- **Il est trop tard.** (*il' é trrô tar*) (É muito tarde.)
- **À quelle heure commence l'excursion?** (*a kél' âr cõ-mãs leks-kyr-siõ?*) (A que horas começa a excursão?)
- **À quelle heure?** (*a kél' âr?*) (A que horas?)
- **un moment/un instant** (*ã mo-mã/ãN-ãstã*) (um momento/um instante)
- **Nous sommes en retard.** (*nu sõm' ã rê-tar*). (Estamos atrasados.)
- **Oh non! Allons-y! Dépêchons-nous!** (Ó nõ! alõzí! dêpêchõ-nu!) (Oh, não! Vamos! Depressa!)

A palavrinha **tout (toute, tous, toutes)** é usada em muitas combinações diferentes. Ela adapta sua terminação ao substantivo ao qual está ligada. Ela significa "todos/cada" quando está ligada à definição de tempo no plural, como em:

- **tous les quarts d'heure** (*tu le car dâr*) (todos os quartos de hora (a cada 15 minutos).)
- **tous les jours** (*tu le júr*) (todos os dias)
- **toutes les vingt minutes** (*tute lê vã minyt*) (a cada 20 minutos)

No entanto, quando está ligada a definições de tempo no singular, ela assume um significado diferente:

- **toute la matinée** (*tute la matinê*) (a manhã toda)
- **toute la journée** (*tute la jurnê*) (o dia todo)
- **toute la vie** (*tute la ví*) (a vida toda)

Dias, Meses e Estações

Tudo bem, dias e meses na verdade não são números, mas são formas de medir o tempo. As seções a seguir ensinam o que você precisa saber a esse respeito.

Que dia é hoje?

A tabela 3-3 traz os dias da semana.

Tabela 3-3 Dias da semana

Francês	*Pronúncia*	*Português*
lundi	lã-dí	segunda-feira
mardi	mar-dí	terça-feira
mercredi	mér-crre-dí	quarta-feira
jeudi	jâ-dí	quinta-feira
vendredi	vã-drre-dí	sexta-feira
samedi	sam'dí	sábado
dimanche	di-mã-che	domingo

Se quiser generalizar, você pode dizer:

- **après-demain** (*aprré dâ-mã*) (depois de amanhã)
- **samedi prochain** (*sam'dí prro-chã*) (no próximo sábado)
- **la semaine prochaine** (*la sê-mén' prrô-chéne'*) (na próxima semana)

Mês a mês

Para saber os meses do ano em francês, veja a tabela 3-4.

Tabela 3-4 Os meses

Francês	*Pronúncia*	*Português*
janvier	jã-viê	janeiro
février	fe-vrriê	fevereiro
mars	mars	março
avril	avrríl'	abril
mai	mé	maio
juin	jyã	junho
juillet	jyi-iê	julho
août	aut	agosto
septembre	sê-tã-brre	setembro
octobre	oc-tôbrre	outubro
novembre	no-vã-brre	novembro
décembre	dê-ssã-brre	dezembro

Datas específicas

Ao expressar uma data mais específica, use a seguinte construção:

Le + número cardinal + mês + ano

Veja um exemplo:

- C'est + le + six + avril + 2000.
- (*cé lâ si-za-vrríl' dâ mil'*)
- (São seis de abril de 2000.)

Use essa fórmula para expressar todas as datas, exceto o primeiro dia do mês:

C'est le premier mai. (*cé lâ prrê-miê mé*) (É primeiro de maio.)

Datas menos específicas

Use **en** (ã) com os meses para expressar "em":

- **En janvier, je pars pour la Martinique.** (*ã jã-viê, jâ par pur la Mar-ti-ník*) (Em janeiro, parto para a Martinica.)
- **Je reviens en avril.** (*jâ rê-viã ãn-a-vrríl'*) (Volto em abril.)

Veja algumas sequências de perguntas e respostas utilizando esse vocabulário de datas:

- **Quel jour est-ce aujourd'hui?** (*kél' jur éss ô-jur-duí?*) (Que dia é hoje?)

  Aujourd'hui, c'est lundi. (*ô-jur-duí, cê lã-dí*) (Hoje é segunda-feira.)
- **Quelle est la date?** (*kél' é la date?*) (Qual é a data?)

  C'est le onze juillet. (*cé lã õz jyi-iê*) (São 11 de julho.)
- **Quand voulez-vous partir?** (*kã vu-lê vu par-tir?*) (Quando você quer partir?)

Le quinze mai. (*lâ kãz mé*) (Em 15 de maio.)

- **J'aime voyager au printemps.** (*jém' vua-ia-gê ô prrã-tã*) (Gosto de viajar na primavera.)

  Moi aussi: en avril ou en mai. (*muá ô-cí: ãn-a-vrríl' u ã mé*) (Eu também: em abril ou em maio.)

- **Mon ami arrive en septembre.** (*mõn amí arrive ã sê-tã-brre*) (Meu amigo chega em setembro.)

  Il reste jusqu'à la fin du mois? (*il' rést jys-ká la fã dy muá?*) (Ele fica até o fim do mês?)

Conheça as quatro estações

Veja como dizer as quatro estações em francês:

- **au printemps** (*ô prrã-tã*) (na primavera)
- **en été** (*an êtê*) (no verão)
- **en automne** (*an ô-tõ*) (no outono)
- **en hiver** (*an i-vér*) (no inverno)

No caso das estações, use **au** antes de um som consonantal e **en** antes de um som vocálico.

Que tal algumas frases com as estações?

- **Qu'est-ce que vous préférez en hiver? La plage ou le ski?** (*kés-kê vu prre-fe-rrê an i-vér? la plage u lâ skí?*) (O que você prefere no inverno? A praia ou o esqui?)
- **Et en été? La mer ou la montagne?** (*ê ãn êtê? la mér u la mõ-ta-nhe?*) (E no verão? O mar ou a montanha?)
- **Au printemps? La campagne ou les grandes villes?** (*ô prrã-tã? la cã-pa-nhe u le grãde víle'?*) (Na primavera? O campo ou as grandes cidades?)

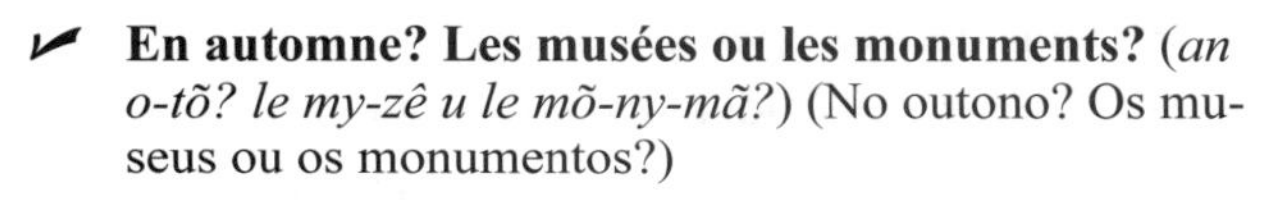

- **En automne? Les musées ou les monuments?** (*an o-tõ? le my-zê u le mõ-ny-mã?*) (No outono? Os museus ou os monumentos?)

Dinheiro

A maior parte da Europa utiliza o euro, o que significa apenas uma taxa de câmbio para a maioria dos países europeus. No entanto, a Suíça, Grã-Bretanha, Suécia, Dinamarca e Noruega estão mantendo (pelo menos por enquanto) suas próprias moedas.

Ao viajar para a parte francesa do Canadá, você usa o dólar canadense. Sem problemas – ele vale um pouco menos que o dólar americano e assim, fica fácil fazer a conversão. Embora a matemática das viagens seja bastante simples, a língua já são outros 500! Mas, não se preocupe, as seções a seguir explicam como conduzir seus negócios em um banco ou em uma casa de câmbio, sem estresse.

Trocando seus dólares no banco

Um dos primeiros lugares que você precisa localizar ao viajar é um local para trocar a sua moeda pela moeda local. A seguir, estão os três lugares mais convenientes para trocar dinheiro a uma taxa razoável:

- **les banques** (*le bãk*) (os bancos)
- **un bureau de change** (*ã by-rrô dê chã-ge*) (uma casa de câmbio)
- **la poste** (*la póste*) (os correios)

Embora você possa achar outros locais para trocar dinheiro, que não os apresentados aqui, é mais provável achar taxas melhores se você trocar dinheiro em um banco.

Ao entrar em um banco, você provavelmente vai escutar uma destas frases, ambas significando "Posso ajudá-lo?":

- **Vous désirez?** (*vu dê-si-rrê?*)
- **Je peux vous aider?** (*jâ pâ vu-ze-dê?*)

Se ninguém se dirigir a você, vá até um funcionário e diga o que deseja. As duas coisas mais comuns que deseja realizar em um banco francês são trocar dinheiro de uma moeda para outra e descontar um cheque.

Comece sua solicitação com

Je voudrais ... (*jê vu-drré*) (Eu gostaria...)

e, depois, acrescente a parte específica:

- **... changer des dollars en euros.** (*chã-gê de do-lár an â-rrô*) (...trocar dólares por euros.)
- **... encaisser un chèque.** (*ã-ké-ssê ã chék*) (...descontar um cheque.)

Obviamente, como os bancos cobram uma taxa adicional (a taxa pode variar de banco para banco), geralmente é aconselhável informar-se primeiro qual é a taxa de câmbio. Para isso, basta perguntar de forma bastante direta:

Quel est votre taux de change? (*kél'é vó-trre tô dê chã-ge?*) (Qual é sua taxa de câmbio?)

Palavras a Saber

changer	*chã-gê*	trocar
ça fait	*sá fé*	é (são)
une carte de crédit	*yn cartedê crrê-dí*	cartão de crédito
un chèque de voyage	*ã chék dê vua-iá-ge*	cheque de viagem

(continua)

le guichet (de change)	lâ gui-chê	guichê (de câmbio)
une devise (étrangère)	yn dê-víz ê trrã-gér	moeda estrangeira
un distributeur (de billets)	ã dis-trri-by-târ	caixa eletrônico
en argent liquide	an ar-jã li'kíd	em dinheiro
le reçu	lê rê-cy	recibo
la signature	la si-nha-tyr	assinatura

Usando cartões de crédito e caixas eletrônicos

Cartões de crédito são amplamente aceitos em países de língua francesa. No entanto, não se deve necessariamente contar em poder usá-los fora das grandes cidades e, se isso for possível, talvez a bandeira do seu cartão não seja aceita. Além disso, lugares que aceitam cartões de crédito são às vezes mais caros que os outros.

Os caixas eletrônicos viraram moda desde que apareceram. Eles são encontrados em pequenas e grandes cidades, geralmente nos bancos, centros de compras, estações de trem, correios etc. O acesso pode ser feito o dia todo, a noite toda... a não ser, é claro, que estejam temporariamente com defeito. Mas nada é perfeito, não é?

As máquinas funcionam basicamente da mesma forma que em nosso país de origem. Geralmente, os comandos também são oferecidos em outras línguas; caso não sejam oferecidos em português, veja algumas frases em francês necessárias para usar um caixa eletrônico:

- **Insérez votre carte svp.** (*ã-sê-rrê vó-trre car-te sil' vu plé*) (Insira seu cartão, por favor.)
- **Tapez votre code svp.** (*ta-pê vó-trre côde sil vu plé*) (Digite seu código, por favor.)
- **Retrait d'espèces.** (*râ-trré des-pés*) (Retire o dinheiro.)
- **Voulez-vous un reçu?** (*vu-lê vu ã re-cy?*) (Deseja imprimir o comprovante?)
- **Carte en cours de vérification.** (*carte ã kur dê ve-rri-fi-ca-ciõ*) (Verificando o saldo.)
- **Patientez svp.** (*pa-ciã-tê sil vu plé*) (Aguarde, por favor.)
- **Reprenez votre carte svp.** (*rê-prrê-nê vó-trre carte sil vu plé*) (Retire seu cartão, por favor.)
- **Prenez votre argent.** (*prrê-nê vó-trr ar-jã*) (Retire o dinheiro.)
- **N'oubliez pas votre reçu.** (*nubliê pá vó-trre re-cy*) (Não esqueça o comprovante.)
- **Au revoir.** (*ôr-vuar*) (Até logo.)

Capítulo 4

Fazendo Novos Amigos e Batendo Papo

Neste capítulo

- Apresentando-se
- Fazendo perguntas
- Batendo papo

Os primeiros passos para estabelecer contato com alguém são os cumprimentos, seja qual for o idioma. Em seguida, vem um bate-papo informal. Esse bate-papo permite que você mantenha sua reserva, se desejar, e troque perguntas e respostas simples. Obviamente, pode-se chegar a uma conversa mais séria, mas geralmente os assuntos são corriqueiros, tais como o tempo, a família ou o trabalho. Em outras palavras, é uma maravilhosa forma de conhecer alguém, além de permitir que, estando sentado no avião, você decida se deve continuar a conversa com o estranho ao seu lado ou voltar ao excelente livro que você está lendo.

Existem várias maneiras de se referir a um bate-papo em francês. Uma delas é **parler de tout et de rien** (*par-lê dê tu ê dê riã*) (falar de tudo e de nada).

Olá! Cumprimentos e Apresentações

As seções a seguir apresentam vários cumprimentos simples em francês que você pode usar em diversas ocasiões para ajudá-lo a se apresentar a alguém.

Cumprimentando e despedindo-se

Quando você está visitando um país estrangeiro, os moradores do local geralmente apreciam o esforço que você faz para falar o idioma, e nada é mais fácil do que dizer olá. Na verdade, a língua francesa tem um ditado usado para se referir a algo que é uma "moleza": **C'est simple comme bonjour** (*cê sã-plâ com' bõ-jur*) (É tão fácil quanto dizer bom dia). Siga em frente então e pratique os seguintes cumprimentos:

- **Bonjour!** (*bõ-jur*): Essa frase literalmente significa "bom dia", mas você pode usá-la quando for apresentado a alguém pela primeira vez, de manhã ou de tarde – a grosso modo, enquanto o sol estiver brilhando.

  Em Québec, as pessoas também dizem **bonjour** quando partem, refletindo o costume inglês de dizer "tenha um bom dia" quando se vai.
- **Bonsoir!** (*bõ-suar*) (Boa noite!)

  Use esse cumprimento ao final da tarde e ao cair da noite para cumprimentar ou despedir-se de alguém.
- **Salut!** (*sa-ly*) (Oi!)

  Esse é o mais informal de todos os cumprimentos e também uma forma de se despedir; use-o a qualquer hora do dia, mas não com qualquer pessoa. Veja o capítulo 2 para entender melhor quando dizer "**Salut**".

Agora, algumas formas para se despedir:

- **Au revoir!** (*ôr-vuar*) (Tchau!, Adeus!)

  Como em português, ele se aplica a qualquer hora do dia ou da noite.

- **Bonne nuit!** (*bõ'nyí*) (Boa noite!)

  Use essa forma somente ao se retirar (ou quando alguém se retira) para dormir ou ao colocar uma criança para dormir. É como dizer "Durma bem".
- **À bientôt!** (*a biã-tô*) (Até breve!)

  Significa a qualquer momento em breve.
- **À tout à l'heure!** (*a tu-ta lâr*) (Até mais tarde!)

  Use esta expressão somente quando você for rever a pessoa no mesmo dia.
- **À demain!** (*a dê-mã*) (Até amanhã!)
- **Bonne journée!** (*bon'jur-nê*) (Tenha um bom dia!)

Perguntando "Como vai você?"

Na maioria das vezes, logo após ser cumprimentado, você responde com "Como vai?". Em francês, são várias as formas de fazer essa pergunta, dependendo do nível de formalidade entre os dois falantes.

A forma a seguir é bastante formal:

Comment allez-vous? (*cõ-mã-ta-lê vu?*) (Como vai você?)

A próxima opção também é bastante educada:

Vous allez bien? (*vu-za-lê biã?*) (Você vai bem?)

Uma forma mais informal seria:

Comment vas-tu? (*cõ-mã vá ty?*) (Como está?)

Esta é a versão familiar da forma anterior, usando **tu** em vez de **vous**.

Bastante informais, mas possíveis de serem usadas com **tu** e **vous,** são as seguintes opções:

- **Comment ça va?** (*cõ-mã sá vá?*) (Como vão as coisas?)
- **Ça va?** (*sá vá?*) (Como vai tudo?)

Respondendo a "Como vai você?"

Naturalmente, os outros esperam que você responda à pergunta (provavelmente sem muitos detalhes sobre sua saúde, seu trabalho ou sua vida particular). Basta uma frase curta, como:

- **Ça va!** (*sá vá*) (Tudo bem!)
- **Ça va bien!/Ça va très bien!** (*sá vá biã/sá vá trré biã*) (Tudo bem!/Tudo ótimo!)
- **Bien, merci!/Très bien, merci!** (*biã, mér-ci/trré biã, mér-ci*) (Bem, obrigado!/Muito bem, obrigado!)

Se estiver menos entusiasmado, diga:

Pas mal! (*pá mal'*) (Nada mal.)

Mesmo que você se sinta muito mal, ninguém espera que você responda a um simples cumprimento dizendo como as coisas realmente andam para o seu lado. Apresentações e cumprimentos são usados por educação e não para compartilhar sentimentos.

Sempre que responder a uma pergunta "Como vai você?", o mínimo que você pode fazer é perguntar sobre o bem-estar da pessoa com a qual você está conversando. Portanto, após sua resposta, diga "E você?":

- **Et vous?** (*ê vu*), que é a maneira formal,
- **Et toi?** (*ê tuá*), a variação do **tu** informal.

Apresentando-se e apresentando os outros

Cumprimentar as pessoas e perguntar como elas estão não é suficiente; é preciso também se apresentar e saber quais são os seus nomes. Use qualquer uma das seguintes frases:

- **Je m'appelle ...** (*jâ ma-pél'*) (Eu me chamo ...)
- **Je suis ...** (*jâ syí*) (Sou ...)
- **Facile, non?** (*fa-cíl' nõ?*) (Fácil, não?)

No entanto, isso resolve a sua parte. Mas, talvez você queira saber quem é aquela outra pessoa do outro lado. Para isso, diga:

Qui est-ce? (*ki éss?*) (Quem é aquele(a)?)

e a resposta é:

C'est ... (*cé*) (Aquele(a) é ...)

Agora, suponha que você queira apresentar alguém. Para isso, diga:

Je vous présente ... (*jâ vu prrê-zãt*) (Deixe-me apresentar... a você(s).)

ou com a variação informal usando **tu**:

Je te présente ... (*jâ tê prrâ-zãt*) (Deixe-me apresentar ... a você(s).)

ou ainda:

Voici .../ Voilà ... (*vua-ici/vua-lá*) (Aqui está .../Lá está .../ Eis aqui...)

e a outra pessoa, então, diz:

Enchanté! (se o falante for homem)/ **Enchantée!** (se o falante for mulher) (*ã-chã-tê*) (Encantado(a)!/Prazer!)

Veja como se apresentar a um colega de trabalho pela primeira vez:

- **Marc: Bonjour, madame. Je m'appelle Marc Sauval.** (*bõ-jur, ma-dam'. jâ ma-pél' mark so-vál'*) (Bom dia, senhora. Eu me chamo Marc Sauval.)

- **Claire: Ah, monsieur Sauval. Je suis Claire Rivet. Enchantée! Comment allez-vous?** (*a mâ-siâ so-vál' jê syí clér ri-vê. cõ-mã-ta-lê vu?*) (Ah, Sr. Sauval. Sou Claire Rivet. Encantada em conhecê-lo! Como vai você?)
- **Marc: Très bien, merci.** (*trré biã, mér-cí*) (Muito bem, obrigado.)

Mais tarde, talvez você queira apresentar alguém para um novo colega:

- **Marc: Madame Rivet, je vous présente ma femme, Christine.** (*ma-dam' ri-vê jê vu prrê-zã ma fam' cris--tin'*) (Sra Rivet, deixe-me apresentar minha esposa, Christine.)
- **Claire: Enchantée, madame!** (*ã-chã-tê ma-dam'*) (Encantada/Prazer, senhora!)
- **Christine: Enchantée!** (*ã-chã-tê*) (Encantada!/Prazer!)

Obviamente, no parque de recreação ou em uma reunião de jovens, a história é diferente e é possível que você ouça:

- **Comment tu t'appelles?** (*cõ-mã ty ta-pél'?*) (Como você se chama?) [informal]
- **Et lui, qui est-ce?/Et elle, qui est-ce?** (*ê ly-í, ki éss?/ê él', ki éss?*) (E ele, quem é?/E ela, quem é?)

Assim como em português, em francês usamos o verbo **appeler** (*a-pê-lê*) (chamar) na forma reflexiva para indicar "chamar-se", como em **je m'appelle** (*jê ma-pél'*) (Eu me chamo.)

Como referência, a tabela 4-1 mostra todas as formas de **appeler** no tempo do presente. (Consulte o capítulo 2 para obter informações gerais sobre os verbos em francês.)

Tabela 4-1 Appeler

Conjugação	*Pronúncia*
je m'appelle	jâ ma-pél'
tu t'appelles	ty ta-pél'
il/elle s'appelle	il'/él' sa-pél'
nous nous appelons	nu nu-za-pê-lõ
vous vous appelez	vu vu-za-pê-lê
ils/elles s'appellent	il'/él sa-pél'

O Grande Inquisidor: Perguntas

Para iniciar uma conversa em qualquer língua, é preciso saber como fazer as perguntas básicas.

Palavras para fazer perguntas

Veja algumas palavras básicas em francês usadas para fazer perguntas:

- **Qui?** (*ki*) (Quem?)
- **Qu'est-ce que?** (*kés-kê*) (O quê?)
- **Où?** (*u*) (Onde?)
- **Quand** (*kã*) (Quando?)
- **Pourquoi?** (*pur-kuá*) (Por quê?)
- **Comment?** (*cõ-mã*) (Como?)
- **Combien?** (*cõ-biã*) (Quanto?)
- **Quel/Quelle?** (masculino e feminino) (*kél'*) (Qual?)

Veja alguns exemplos de como usar essas palavras em francês para fazer perguntas simples – você pode também usá-las isoladamente, de vez em quando – como em português:

- **Qui est-ce?** (*ki éss?*) (Quem é?)
- **Qu'est-ce que tu fais?** (*kés-kê ty fé?*) (O que você faz?) [informal]
- **Où habitez-vous?** (*u a-bi-tê vu?*) (Onde você(s) mora(m)?) [formal]
- **Quand part l'avion?** (*kã pár la-viõ?*) (Quando sai o avião?)
- **Pourquoi allez-vous à Paris?** (*pur-kuá alê vu a pa-rrí?*) (Por que você está indo para Paris?)
- **Comment s'appelle la petite fille?** (*cõ-mã sa-pél' la pâ-tit fi-i?*) (Como se chama a menininha?)
- **Comment s'appelle...?** (*cõ-mã sa-pél'...?*) (Como se chama...?)
- **Quel est son prénom?** (*kél' é sõ prrê-nõ?*) (Qual é o primeiro nome dele/dela?)
- **Combien coûte le billet?** (*cõ-biã cut lâ bi-iê?*) (Quanto custa o bilhete?)
- **Quel hôtel préférez-vous?** (*kél' ô-tél' prrê-fê-rrê vu?*) (Que hotel você prefere?)

As frases a seguir são básicas para um bate-papo e indispensáveis quando você está dando os primeiros passos em uma língua estrangeira:

- **Je ne comprends pas.** (*jâ nê cõ-prrã pá*) (Não entendo/não entendi.)
- **Je ne sais pas.** (*jâ nê sé pá*) (Não sei).
- **Pardon/Excusez-moi.** (*par-dõ/eks-ky-zê muá*) (Perdão/Desculpe-me.)
- **Je suis désolé/désolée.** (*jê syí dê-zo-lê*). (Desculpe-me/Sinto muito.)

Fazendo perguntas simples

Veja uma lista de perguntas simples que você talvez precise usar ao conhecer alguém. Todas elas usam o **vous** formal, pois, a não ser que você seja muito jovem, é mais provável que utilize o **vous** ao ser apresentado a alguém pela primeira vez:

- **Comment vous appelez-vous?** (*cõ-mã vu-za-pe-lê vu?*) (Como você(s) se chama(m)?)
- **Quel âge avez-vous?** (*kél' a-ge a-vê vu?*) (Quantos anos você(s) tem(têm)?)
- **Où habitez-vous?** (*u a-bi-tê vu?*) (Onde você(s) mora(m)?)
- **Est-ce que vous êtes marié?** (*és-kê vu-zét ma-rriê?*) (Você é casado?)
- **Avez-vous des enfants?** (*a-vê vu de-zã-fã?*) (Você(s) tem(têm) filhos?)
- **Qu'est-ce que vous faites (dans la vie)?** (*kés-kê vu fét (dã la ví)?*) (O que você(s) faz(em) (na vida)?)
- **Pour quelle compagnie travaillez-vous?** (*pur kél' cõ-pa-nhí trra-va-iê vu?*) (Para qual empresa você(s) trabalha(m)?)
- **Parlez-vous français?** (*par-lê vu frran-cé?*) (Você(s) fala(m) francês?)
- **Aimez-vous voyager?** (*e-mê vu vuá-iá-gê?*) (Você(s) gosta(m) de viajar?)
- **Quand partez-vous?** (*kã par-tê vu?*) (Quando você(s) parte(m)?/vai(vão) embora?)
- **Quel temps fait-il aujourd'hui?** (*kel' tã fét il ô-jur-dyí?*) (Que tempo está fazendo hoje?)

De Onde Você É?

Depois de ter conhecido pessoas novas, apresentado-se e aprendido os nomes delas, talvez você queira saber de onde elas são (de que cidade, de que país) e sua nacionalidade. Para isso, é preciso familiarizar-se com um verbo bastante útil: **être** (*é-trrâ*) (ser/estar). Esse verbo é irregular e, com certeza, um pouco difícil, mas é tão importante, e usado com tanta frequência, que você vai ver que vale a pena se esforçar para memorizar todas as suas formas e praticá-lo várias vezes. É preciso que ele saia naturalmente. A tabela 4-2 mostra a conjugação de **être** no tempo do presente.

Tabela 4-2 Être

Conjugação	*Pronúncia*
je suis	jê syí
tu es	ty é
il/elle est	il'/él' é
nous sommes	nu sóm'
vous êtes	vu zét
ils/elles sont	il'/él' sõ

A grande pergunta desta seção é

D'où êtes-vous? (*du ét vu?)* (De onde você(s) é(são)?) ou **D'où es-tu?** (*du é ty?*) (De onde você é?) [formal ou informal]

Você pode responder, por exemplo, da seguinte forma:

- **Je suis de New York. Et vous?** (*jê syí dê niu iork. ê vu?)* (Sou de Nova Iorque. E você(s)?)
- **Nous sommes de Paris**. (*nu sóm' dê pa-rrí*) (Somos de Paris).

Parece fácil, não? Mas observe que os lugares mencionados nesses exemplos (Nova Iorque e Paris) são cidades. Fica um pouco mais complicado quando você começa a falar sobre o país de onde vem, pois, em francês, um país pode ser masculino ou feminino. A tabela 4-3 apresenta uma lista de exemplos de países com seus respectivos gêneros:

Tabela 4-3 Gêneros dos Países

Francês	*Pronúncia*	*Português*

feminino:		
La France	la frãs	França
La Suisse	la sy-ís	Suíça
La Belgique	la bél'-gík	Bélgica
L'Allemagne	la-le-má-nhe	Alemanha
L'Italie	li-ta-lí	Itália
L'Espagne	les-pá-nhe	Espanha
L'Angleterre	lã-gle-tér	Inglaterra
L'Algérie	lal'-gê-rrí	Argélia
L'Inde	lãd	Índia
masculino:		
Le Canada	lâ ca-na-dá	Canadá
Le Danemark	lâ dãn'-mark	Dinamarca
Le Portugal	lâ pór-ty-gal'	Portugal
Le Japon	lâ ja-põ	Japão
Le Maroc	lâ marrók	Marrocos
Le Sénégal	lâ sê-nê-gal'	Senegal
Le Liban	lâ libã	Líbano
Les États-Unis	le-ze-tá-zy-ní	Estados Unidos

Observe que todos os países femininos terminam com a letra *e*. Uma exceção é **le Mexique** (*lâ mek-sík*) (México), que, embora termine em *e*, é masculino.

É importante prestar atenção ao gênero dos países para entender as variações nas seguintes frases:

- **Cidade: Je suis de Paris.** (*jê syí dâ pa-rrí*) (Sou de Paris.)
- **País feminino: Il est de France.** (*il' é dâ frrãs*) (Ele é da França.)
- **País masculino: Vous êtes du Canada.** (*vu zét dy ca-na-dá*) (Você é do Canadá.)
- **Plural: Nous sommes des Etats-Unis.** (*nu sóm' dê zê-tá-zy-ní*) (Nós somos dos Estados Unidos.)

Obviamente, às vezes, em vez de dizer de onde você é, você simplesmente quer dizer onde está. Nesse caso, use **à** para cidades e uma preposição diferente para países (dependendo de ele ser masculino ou feminino):

- **Cidade: Je suis à Paris.** (*jê syíza pa-rrí*) (Estou em Paris.)
- **Masculino: Montréal est au Canada.** (*mõ-rê-al' é-tô ca-na-dá*) (Montreal é no Canadá.)
- **Feminino: Elle est en Suisse.** (*él' é-tã sy-ís*) (Ela está na Suíça.)

Em francês, como em português, você pode dizer "venho de" em vez de "sou de". Para este tipo de expressão, use o verbo **venir** (*vê-nir*) (vir). (Veja o capítulo 2 para saber como conjugar esse verbo regular terminado em **-ir**). Por exemplo, você pode perguntar:

> **D'où viens-tu/D'où venez-vous?** (*du viã-ty/du vâ-nê vu?*) (De onde você vem?) [informal e formal]

e a resposta poderia ser, por exemplo:

> **Je viens de Montréal.** (*jê viã dê mõ-rê-al'*) (Venho de Montreal.)

Descrevendo cidades

Suponha que você queira ter uma conversa mais longa com uma pessoa sobre a cidade de onde ela vem: é uma cidade grande, pequena, bonita, internacional ou...? Veja algumas formas de iniciar uma conversa:

- **De quelle ville êtes-vous?** (*dê kél' vil' ét-vu?*) (De que cidade você é?)

  De quelle ville es-tu? (*dê kél' vil' é-ty?*) (De que cidade você é?)
- **Où est Montréal?** (*u é mõ-rê-al'?*) (Onde é Montreal?)
- **Comment est Montréal/Bruxelles/Paris?** (*cõ-mã-té mõ-rê-al'/brry-ssél'/pa-rrí?*) (Como é Montreal/ Bruxelas/Paris?)
- **Est-ce que c'est une petite ville?** (*és-kê cé-tyn pâ-tit vil'?*) (É uma cidade pequena?)

E veja algumas possíveis respostas:

- **Montréal est une ville internationale.** (*mõ-rê--al' é-tyn vil' ã-ter-na-cio-nal'*) (Montreal é uma cidade internacional.)
- **C'est au Canada.** (*ce-tô ca-na-dá*) (Ela fica no Canadá.)
- **Ce n'est pas une petite ville; c'est une très grande ville.** (*sé né pá-zyn pâ-tit vil'; sé-tyn trré grrãd vil'*) (Ela não é uma cidade pequena; é uma cidade muito grande.)

Palavras a Saber

Où est...?	u é	Onde é...?
une petite ville	yn pâ-tit vil'	uma cidade pequena
une grande ville	yne grrãd vil'	uma cidade grande
une ville internationale	yn vil' ã-tér-na-cio-nal'	uma cidade internacional

Chegando ao endereço

À medida que ficam mais íntimas, é possível que as pessoas queiram transformar o "De onde você vem?" em algo um pouco mais pessoal e perguntar: **Où habitez-vous?** (*u a-bi-tê vu?*) (Onde você mora?). Ou até mesmo:

- **Quelle est votre adresse?** (*kél'-é vó-trre a-drrés?*) (Qual é o seu endereço?)
- **Donnez-moi votre numéro de téléphone.** (*dõ-nê-muá vó-trre ny-mê-rrô dê tê-lê-fõ*). (Dê-me o número do seu telefone.)

Ocasionalmente, é possível que você fale sobre sua casa. As palavras e as frases a seguir ajudam bastante:

- **Nous habitons dans une maison.** (*nu-za-bi-tõ dã-zyn mé-zõ*) (Moramos em uma casa.)
- **Moi, j'habite dans un appartement.** (*muá, ja-bít dã-zan-apar-tê-mã*) (Moro em um apartamento.)

Palavras a Saber

le nom	lâ nõ	sobrenome
le prénom	lâ prrê-nõ	nome
l'adresse	la-drrés	endereço
le numéro de téléphone	lâ ny-mê-rrô dê tê-lê-fõ	número do telefone
vous voulez?	vu vu-lê	você quer?
le code postal	lâ cód pós-tal'	CEP
Pourquoi pas?	pur-kuá pá	Por que não?

(continua)

Batendo Papo no Trabalho

Seu trabalho quase sempre faz parte de um bate-papo. A seguir, veja alguns termos e expressões relacionadas a trabalho:

- **Qu'est-ce que vous faites dans la vie?** (*kés-kâ vu fét dã la ví?*) (O que você faz na vida?)
- **professeur** (*prrô-fê-sâr*) (professor)
- **informaticien/informaticienne** (*ã-for-ma-ti-siã/ã-for--ma-ti-cién'*) (profissional de informática (masculino/feminino))
- **secrétaire** (*sâ-crrê-tér*) (secretária)
- **médecin** (*mêd-sã*) (médico)
- **infirmier/infirmière** (*ã-fir-miê/ã-fir-miér*) (enfermeiro/enfermeira)
- **avocat/avocate** (*a-vo-cá/a-vo-cate*) (advogado/advogada)
- **ingénieur** (*ã-gê-niâr*) (engenheiro)
- **serveur/serveuse** (*sér-vâr/sér-vâz*) (garçon/garçonete)
- **dentiste** (*dã-tist*) (dentista)
- **retraité/retraitée** (*râ-trré-tê*) (aposentado(a))

Em francês, como em português , quando você diz qual é sua profissão, basta dizer: **Je suis professeur** (*jâ syí prô-fê-sâr*) (Sou professor) ou **il est ingénieur** (*il' é-ta-gê-niâr*) (Ele é engenheiro), sem usar o artigo indefinido.

Veja uma conversa que você poderia ter sobre o trabalho de alguém:

- **Amanda: Où travaillez-vous?** (*u trra-vai-iê vu?*) (Onde você trabalha?)
- **Patrick: Mon bureau est à Paris, mais je vais souvent à Nice en voyage d'affaires.** (*mõ by-rrô é-ta pa-rrí mé jâ vé su-vã a nís ã vua-iá-ge da-fér*) (Meu escritório fica em Paris, mas vou frequentemente a Nice em viagem de negócios.)
- **Amanda: Pour quelle compagnie travaillez-vous?** (*pur kél' cõ-pa-nhí trra-vai-iê vu?*) (Para qual empresa você trabalha?)
- **Patrick: Pour une compagnie d'informatique.** (*pur yn cõ-pa-nhí dã-fór-ma-tík*). (Para uma empresa de informática.)
- **Amanda: C'est une grande compagnie?** (*ce-tyn grrãde cõ-pa-nhí?*) (É uma empresa grande?)
- **Patrick: Non, elle est très petite. Il y a seulement dix employés.** (nõ, él' é trré pâ-titâ. il iá sâl-mã di--zã-pluá-iê). (Não, ela é bastante pequena. Há apenas dez funcionários.)

Palavras a Saber

le voyage d'affaires	lê vuá-iá-ge da-fér	viagem de negócios
mon bureau	mõ by-rrô	meu escritório
l'informatique	lã-fór-ma-tík	informática
une compagnie	yn cõ-pa-nhí	uma empresa
grand/grande	grrã/grrãde	grande, alta

petit/petite	pâ-ti/pâ-tite	pequeno/pequena
il y a	i-liá	há
un employé/ une employée	an-ã-pluá-iê/yn ã-pluá-iê	empregado/funcio-nário/empregada/ funcionária
un collègue/ une collègue	ã-co-lég/yn co-lég	colega de trabalho

Falando Sobre Falar

Se estiver perdido em algum país francófono e estiver desesperado precisando de ajuda, as seguintes frases podem ajudá-lo a se expressar nessas situações:

- **Parlez-vous français?/Est-ce que vous parlez français?** (*par-lê vu frrã-cé?/és-kâ vu par-lê frrã-cé?*) (Você(s) fala(m) francês?) [formal e plural]
- **Je parle un peu français.** (*jâ parl' ã pâ frrã-cé*) (Falo um pouco de francês.)
- **Je parle bien français.** (*jâ parl' biã frrã-cé*) (Falo francês bem.)
- **Je ne parle pas du tout français.** (*jâ nê parl' pá dy tu frrã-cé*) (Não falo nada de francês.)

Observe acima como as frases em francês são estruturadas em comparação com a tradução no português. O advérbio (bem, um pouco, nada de) vem logo depois do verbo, em vez de aparecer no final da frase.

Veja algumas frases com **parler** para usar em suas conversas.

- **Mais tu parles très bien français!** (*mé ty parl' trré biã frrã-cé*) (Mas você fala francês muito bem!)

- **C'est normal, je suis québécoise, alors ma langue maternelle, c'est le français.** (*cé nór-mal' jê syí que-be-kuáz a-lór ma lãg ma-tér-nél' cé lê frrã-cé*) (Não há nada demais, sou de Quebec e minha língua materna é o francês.)
- **Mais tu parle aussi l'anglais probablement.** (*mé ty parl' ô-cí lã-glé prro-ba-blê-mã*) (Mas, provavelmente você também fala inglês.)
- **Moi je le parle.** (*muá jâ lâ parl'*) (Sim, falo.)

Palavras a Saber

mon ami	mõ-na-mí	meu amigo
mon amie	mõ-na-m í	minha amiga
mais	mé	mas
alors	a-lór	portanto/então
ma langue maternelle	ma lãg ma-tér-nél'	minha língua materna
moi/toi/lui/elle	muá/tuá/ly-i/él'	eu/você/ele/ela
moi aussi	muá ô-cí	eu também
bien sûr	biã syr	obviamente, claro
seulement	sâl-mã	somente
maintenatnt	ment-nã	agora
il faut parler	il fô par-lê	você tem que falar/ nós temos que falar

Como Está o Tempo?

Outro excelente tópico para pequenas conversas é, obviamente, **le temps** (*lê tã*) (o tempo). Na verdade, uma das maneiras de se referir a um bate-papo em francês é **parler de la pluie et du beau temps** (*par-lê dê la ply-í ê dy bõ tã*) (literalmente: falar da chuva e do tempo bom). Veja algumas frases úteis:

- **Quel temps fait-il?** (*kel' tã fé-til'?*) (Como está o tempo?)
- **Il fait chaud.** (*il' fé chô*) (Está quente/fazendo calor.)
- **Il fait froid.** (*il' fé frruá*) (Está frio/fazendo frio.)
- **Il fait doux.** (*il' fé du*) (Está ameno.)
- **Il fait beau.** (*il' fé bô*) (Está bom/bonito.)
- **Il fait mauvais.** (*il' fé mô-vé*) (Está ruim.)
- **Il fait du vent.** (*il' fé dy vã*) (Está ventando.)
- **Il fait du soleil.** (*il' fé dy so-léi*) (Está ensolarado.)
- **Il pleut.** (*il' plâ*) (Está chovendo.)
- **Il neige** (*il' nége*) (Está nevando.)
- **La température est de 20 degrés.** (*la tã-pê-rra-tyr é dê vã de-grrê*) (A temperatura é de 20 graus.)

Experimente esta conversa sobre o tempo:

- **Amanda: À Nice, il fait beau et chaud et la température est de 30 degrés.** (*a nís il' fé bô ê chô ê la tã-pê-rra-tyr é dê trãt de-grrê*) (Em Nice, o tempo está bom e faz calor, e a temperatura é de 30 graus).
- **Patrick: À Nice, il fait toujours beau!** (*a nís il' fé tu-jur bô*) (Em Nice, está sempre bom!)
- **Amanda: Même en hiver?** (*mém' ãn-i-vér?*) (Mesmo no inverno?)

- **Patrick: En hiver, il pleut un peu, mais il fait doux. Et à New York?** (*ãn-i-vér, il plâ ã pâ mé-zil'fé du. ê a niu iork?*) (No inverno, chove um pouco, mas fica ameno. E em Nova Iorque?)
- **Amanda: En hiver, il fait très froid et il neige, et en été il fait très chaud et humide.** (*ãn-i-vér, il'fé trré frruá ê il'nége, ê an-êtê il'fé trré chô ê y-míd*) (No inverno, faz muito frio e neva, e no verão faz muito calor e é úmido.)
- **Patrick: Et au printemps et en automne?** (*ê ô prrã-tã ê an-o-tõ?*) (E na primavera e no outono?)
- **Amanda: Le temps est agréable.** (*lâ tã é a-grrê-á-ble*) (O tempo é agradável.

Como Vai Sua Família?

Se quiser falar sobre sua família, você vai precisar das seguintes palavras:

- **le mari** (*lâ ma-rrí*) (marido)
- **la femme** (*la fám'*) (esposa)
- **les parents** (*le pa-rrã*) (pais)
- **le père** (*lâ pér*) (pai)
- **la mère** (*la mér*) (mãe)
- **les enfants** (*le zã-fã*) (filhos)
- **le fils** (*lâ fis*) (filho)
- **la fille** (*la fi-i*) (filha)
- **le frère** (*lâ frrér*) (irmão)
- **la soeur** (*la sâr*) (irmã)
- **les petits-enfants** (*le pê-ti-zã-fã*) (netos)

Na conversa a seguir, duas pessoas falam sobre suas famílias:

- **Patrick: Votre fille habite en France?** (*vó-trre fi-i a-bit ã frrãs?*) (Sua filha mora na França?)
- **Amanda: Oui, son mari est français.** (*uí, sõ ma-rrí é frrã-cé*). (Sim, seu marido francês).
- **Patrick: Et vous, êtes-vous française ou américaine?** (*ê vu, ét-vu frrã-cé-zu a-mê-rri-kén'?*) (E você, é francesa ou americana?).
- **Amanda: Les deux! Mon père est américain et ma mère est française.** (*lê dâ. mõ pér é-ta-mê-rri-kén ê ma mér é frrã-céz*) (Os dois! Meu pai é americano e minha mãe é francesa.)
- **Patrick: Alors vous parlez bien l'anglais et le français?** (*a-lór vu par-lê biã lã-glé ê lê frrã-cé?*) (Então, você fala bem inglês e francês?)
- **Amanda: Bien sûr et mes enfants et mes petits-enfants aussi.** (*biã syr ê mê-zã-fã ê mê pâ-ti-zã-fã ô-cí*) (Claro, e meus filhos e meus netos também.)
- **Patrick: Quelle chance! Moi je parle seulement français.** (*kél' chãs! muá jê parl' sâl-mã frrã-cé*) (Que sorte! Eu falo só francês.)

Palavras a Saber

habiter	a-bi-tê	morar
les deux	le dâ	os dois/as duas/ ambos/ambas
quelle chance	kél' chãs	que sorte
seulement	sâl-mã	somente

Em francês, o verbo **habiter** (*a-bi-tê*) corresponde a "morar" em português e o verbo **vivre** (*vi-vrrâ*) corresponde ao verbo "viver".

Capítulo 5

Saboreando uma Bebida e um Lanche (ou uma Refeição!)

Neste capítulo

- Pedindo um pão com manteiga
- Comendo fora
- Pagando a conta

Conhecer a comida e os hábitos alimentares de outro país é uma das formas mais agradáveis de descobrir sua cultura. Quando os assuntos são culinária francesa e restaurantes franceses, essa exploração torna-se ainda mais agradável. Queira você comer em um restaurante sofisticado de duas ou três estrelas ou saborear um pão com queijo sentado no banco de uma praça, é preciso saber como escolher, pedir e, enfim, saborear (Prometemos que será fácil!).

Tudo Sobre Refeições

Que melhor forma para saborear o que você vai comer do que começar com o estômago vazio? Aí, você pode dizer: "**J'ai faim**" (*jê jâ*) (Estou com fome.) ou "**J'ai soif**" (*jâ suáf*) (Estou com sede.), e o glorioso mundo da gastronomia francesa será todo seu.

Os falantes de francês adoram enfatizar como se sentem. Por isso, em vez de simplesmente dizerem "Estou com muita fome" ou "Estou com muita sede", eles dizem que estão morrendo de fome ou de sede, como em português: **je meurs de faim** (*jâ mâr dê fã*), **je meurs de soif** (*jâ mâr dê suáf*).

As refeições

O mundo francófono tem algumas variantes nos nomes que dão às refeições:

- A palavra para "café da manhã" é

  le déjeuner (*lâ dê-jâ-nê*) em Québec

  le petit déjeuner (l*â pê-ti dê-jâ-nê*) na França
- A palavra para "almoço" é

  le dîner (*lâ di-nê*) em Québec

  le déjeuner (*lâ dê-jâ-nê*) na França
- A palavra para "jantar" é

  le souper (*lâ su-pê*) em Québec

  le dîner (*lâ di-nê*) na França

  Todos esses substantivos são verbos; almoçar ou jantar seriam então **déjeuner**, **dîner** ou **souper**.
- Outras situações em que você poderá comer são:

  le goûter (*lâ gu-tê*) (lanche do meio da tarde)

  un casse-croûte (*ã kás-crrút*) (um lanche; literalmente, um quebra-crosta)

Arrumando a mesa

Como em muitos países, atualmente, a maior refeição do dia na maioria dos lares franceses é o jantar. A lista a seguir inclui os itens que você usa para **mettre le couvert** (*mé-ttrâ lâ cu-vér*) (arrumar a mesa):

- **une assiette** (*yn a-ssi-ét*) (um prato)
- **un verre** (*ã vér*) (um copo)
- **les couverts** (*le cu-vér*) (os talheres)
- **une fourchette** (*yn fur-chét*) (um garfo)

- **une cuillère** (*yn cyí-iér*) (uma colher)
- **un couteau** (*ã cu-tô*) (uma faca)
- **une serviette** (*yn sér-vi-ét*) (um guardanapo)
- **le sel et le poivre** (*lâ sél' ê lâ puá-vrre*) (o sal e a pimenta)

Depois da sobremesa, as pessoas saem da mesa e tomam um cafezinho. Para isso, usam o seguinte:

- **une tasse** (*yn tás*) (uma xícara)
- **une soucoupe** (*yn su-cupe*) (um pires)
- **une petite cuillère** (*yn pâ-tit cyí-iér*) (uma colher de chá)
- **le sucre** (*lâ sy-crre*) (o açúcar)

Saindo para Comer

Talvez você não tenha toda essa sorte de desfrutar um jantar francês em família, mas as palavras da seção anterior podem ser úteis quando você estiver em um restaurante. As seções a seguir mostram todos os aspectos de um jantar "fora de casa".

Fazendo uma reserva

Muitos restaurantes populares ou bem conhecidos exigem reserva – às vezes com até dois meses de antecedência! Entre as frases que você poderá encontrar ao fazer uma reserva estão as seguintes:

- **Bonjour, je voudrais réserver une table pour samedi prochain.** (*bõ-jur jâ vu-drré rê-zêr-vê yn tá-ble pur sam'-dí prro-ch*) (Bom dia, gostaria de reservar uma mesa para o próximo sábado.)
- **D'accord, pour déjeuner ou por dîner?** (*da-cór pur dê-jâ-nê u pur di-nê?*) (Muito bem, para o almoço ou para o jantar?)

- **Pour combien de personnes?** (*pur cõ-biã dê pér-sóne?*) (Para quantas pessoas?)
- **Et à quelle heure?** (*ê a kél' âr?*) (E a que horas?)
- **C'est à quel nom?** (*cé-ta kél' nõ?*) (Em nome de quem?)

Fazendo um pedido no restaurante

Ao chegar ao restaurante, eis algumas frases úteis:

- **Bonsoir, nous avons une réservation au nom de Miller.** (*bõ-suár nu-za-võ yn rê-sêr-va-ciõ ô nõ dâ mi-lér*) (Boa noite, nós temos uma reserva em nome de Miller.)
- **Votre table est là-bas à côté de la fenêtre.** (*vó-trre ta-ble é lá-bá a co-tê dê la fê-né-trre*) (Sua mesa é logo ali ao lado da janela.)
- **Et voici le menu et la carte des vins.** (*ê vuá-icí lâ mê-ny ê la carr de vã*). (E aqui estão o cardápio e a carta de vinhos.)

Uma vez sentado à mesa, é preciso conversar com o garçom. Veja algumas perguntas e frases que o garçom utiliza:

- **Vous voulez boire quelque chose?** (*vu vu-lê buár kél'-kâ chôz?*) (Deseja tomar alguma coisa?)
- **Voilà vos boissons.** (*vuá-lá vô buá-ssõ*) (Aqui estão suas bebidas.)
- **Vous êtes prêts?** (*vu-zét prré?*) (Estão prontos para pedir?)

Não se dirija ao garçom como **garçon** (*gar-ssõ*), que é considerado pejorativo por significar "menino"; para isso, use **monsieur** (*mâ-siâ*). No caso de **une serveuse** (*yn sér-vâz*) (uma garçonete), diga **madame** (*ma-dam'*) ou **mademoiselle** (*mad-muá-zél'*), se ela for jovem.

Palavras a Saber

Nous sommes fermés.	nu sóm' fér-mê	Estamos fechados.
d'accord	da-cór	OK, tude bem
C'est à quel nom?	ce-tá kél' nõ?	em nome de quem?
là-bas	lá-bá	logo ali
à côté de...	a co-tê dê	ao lado de...
la fenêtre	la fê-né-trrê	a janela
parfait	par-fé	perfeito

Obviamente, decidir o que você realmente quer é outra questão. Na maioria dos restaurantes na França, os pedidos são feitos com base em um **menu à prix fixe** (*mê-ny a prrí fiks*) (cardápio a preço fixo) ou **à la carte** (*a la cart*). Geralmente, você tem vários cardápios predefinidos para fazer sua escolha, com opções de duas a quatro entradas e sobremesas. Quando o pedido é feito *à la carte*, você pode escolher qualquer coisa.

Use as seguintes frases para pedir ao garçom alguma explicação sobre o cardápio:

- **Qu'est-ce que c'est...?** (*kes-kê-cé?*) (O que é isso?)
- **C'est bon?** (*Cé bõ?*) (É bom?)
- **C'est délicieux. C'est une spécialité de la maison.** (*cé dê-li-ciâ. cê-tyn spê-cia-li-tê dê la mé-zõ*) (É delicioso. É uma especialidade da casa.)

Use também a frase "**Qu'est-ce que vous recommandez?**" (*kés-kâ vu rê-cõ-mã-dê?*) (O que você recomenda?) para solicitar a recomendação do garçom.

Quando estiver pronto para fazer o pedido, é preciso ter as seguintes frases à mão:

- **comme entrée, je prends...** (*cõ-mã-trrê jâ prrã*) (como entrada vou querer...)
- **je voudrais...** (*jâ vu-drré*) (Eu gostaria de...)
- **pour moi...** (*pur muá*) (literalmente: para mim...)
- **et ensuite...** (*ê ã-syít*) (e em seguida...)
- **et comme boisson** (*ê cõm' buá-ssõ*) (e para beber...)
- **et comme dessert** (*ê cõm' dê-cér*) (e para sobremesa...)

A primeira frase da lista anterior usa o verbo **prendre** (*prrã-drrê*) (pegar/tomar), que pode ser usado para pedir comidas ou bebidas. **Prendre** é um verbo irregular, como mostra a tabela 5-1.

Tabela 5-1 Prendre

Conjugação	*Pronúncia*
je prends	jê prrã
tu prends	ty prrã
il/elle prend	il'/él' prrã
nous prenons	nu prrê-nõ
vous prenez	vu prrê-nê
ils/elles prennent	il'/él' prréne

As listas a seguir trazem exemplos de coisas que você poderá encontrar em um restaurante francês. Lembre-se de que diferentes restaurantes podem dar diferentes nomes às coisas; portanto, se não tiver certeza, pergunte ao garçom. Primeiro, **les entrées** (*lê-zã-trrê*) (as entradas):

- **le pâté/la terrine** (*lâ pa-tê/la té-rrín'*) (patês; patê de carne)
- **le saumon fumé** (*lâ sô-mõ fy-mê*) (salmão defumado)
- **la salade verte** (*la sa-lad vér*) (literalmente, salada verde; salada apenas com alface)
- **les crudités** (*lê crry-di-tê*) (legumes crus misturados)

Depois da entrada, vem **le plat principal** (*lê plá prén-ci-pál'*) (o prato principal):

- **les viandes** (*le viãd*) (carnes):

  le boeuf (*lê bâf*) (carne de boi)

  Você pode pedir seu bife **saignant** (*se-nhã*) (mal passado), **à point** (*a puã*) (ao ponto) ou **bien cuit** (*biã cyí*) (bem passado).

  le veau (*lâ vô*) (vitela)

  le poulet (*lâ pu-lê*) (frango)

  le porc (*lâ pórc*) (porco)

  l'agneau (*la-nhô*) (cordeiro)

  les poissons (*lê puá-ssõ*) (peixe)
- **le riz** (*lâ rís*) (arroz)
- **les pâtes** (*lê pát*) (massa)

  Que diferença faz um acento! **Le pâté** (*lâ pa-tê*) é uma pasta de carne, geralmente feita de carne de porco e temperos, que é consumida como entrada com pão. Por outro lado, **les pâtes** (*lâ pát*) se refere a massas.
- **les légumes** (*le lê-gym*) (legumes):

  les pommes de terre (*le póm' dâ tér*) (batatas)

  les haricots verts (*le-za-rri-cô vér*) (vagem)

  les petits pois (*le pâ-ti puá*) (ervilhas)

  les champignons (*le chã-pi-nhõ*) (cogumelos)

  les fromages (*le frrô-ma-ge*) (queijos)

- **les desserts** (*le de-cér*) (sobremesas)
  la glace (*la glás*) (sorvete)
  la crème (*la crrém'*) (pudim)
  le gâteau au chocolat (*lâ ga-tô ô cho-co-lá*) (bolo de chocolate)
  la tarte aux pommes (*la tart-ô-póm'*) (torta de maçã)

Palavras a Saber

les poireaux	le puá-rrô	alho-poró
Vous voulez...?	vu vu-lê	Vocês desejam/ gostariam...? [formal. plural]
Tu veux...?	ty vâ	Você quer/gostaria...? [informal]
la boisson	la buá-ssõ	bebida
et ensuite...	ê ã-suít	e em seguida...
C'est bon!	cé bõ	É bom!
C'est délicieux	cé dê-li-ciâ	É delicioso!

Tomando café da manhã fora de casa

Ir a uma **pâtisserie** (*pa-ti-sse-rrí*) (confeitaria) ou uma **boulangerie** (*bu-lã-gê-rrí*) (padaria) de manhã pode ser algo maravilhoso. Veja alguns itens que você pode pedir:

- **le café** (*lâ ca-fê*) (café)
- **le café au lait** (*lâ ca-fê ô lé*) (café com leite)

- **le café crème** (*lâ ca-fê crrém'*) (café com um pouco de leite)
- **le thé nature** (*lâ tê na-tyr*) (chá puro)
- **le thé au citron/le thé citron** (*lê tê ô ci-trrõ/lâ tê ci--trrõ*) (chá com limão)
- **le pain** (*lâ pã*) (pão)
- **le pain grillé** (*lâ pã grri-iê*) (torrada)
- **les tartines** (*lê tar-tín'*) (fatias de pão com algum tipo de pasta)
- **le beurre** (*lâ bâr*) (manteiga)
- **la margarine** (*la mar-ga-rrín'*) (margarina), não tão popular quanto a manteiga, mas, mesmo assim, usada
- **la confiture** (*la cõ-fi-tyr*) (geleia)
- **le croissant** (*lâ crruá-ssã*) (croissant)
- **le pain au chocolat** (*lâ pã ô cho-co-lá*) (massa de croissant em formato diferente e com chocolate por dentro)
- **le chausson aux pommes** (*lâ chô-ssõ ô póm'*) (bolinho recheado com molho de maçã)
- **le pain aux raisins** (*lâ pã ô rê-zã*) (pão com passas)

Pedindo uma Bebida

As perguntas **Qu'est-ce que vous voulez boire?** (*kés-kâ vu vu-lê buár?*) e **Qu'est-ce que vous voulez comme boisson?** (*kés-kâ vu vu-lê cóm' buá-ssõ?*) significam "O que você deseja beber?". E o verbo das duas perguntas é o verbo irregular **boire** (*buár*) (beber). Veja a conjugação na tabela 5-2.

Tabela 5-2	Boire
Conjugação	***Pronúncia***
je bois	jê buá
tu bois	ty buá
il/elle boit	il'/él' buá
nous buvons	nu by-võ
vous buvez	vu by-vê
ils/elles boivent	il'/él' buáv

Veja uma lista de bebidas que as pessoas normalmente pedem em um restaurante ou café:

- **un verre de vin** (*ã vér dê vã*) (uma taça de vinho)
- **une bouteille de bière** (*yn bu-téi dê bi-ér*) (uma garrafa de cerveja)
- **une carafe d'eau** (*yn ca-rráf dô*) (uma garrafa de água)
- **un double express** (*ã dú-bleks-prrés*) (um expresso duplo)
- **un grand crème** (*ã grrã crrém'*) (café com leite grande)
- **un déca; un décaféiné** (*ã dê-cá; ã dê-ca-fê-i-nê*) (café descafeinado)
- **une tasse de thé** (*yn tas dê tê*) (uma xícara de chá)

Na França, as pessoas raramente pedem vinho em taça. O mais comum é pedir o vinho em **un quart** (*ã cár*) (250 ml ou um quarto de litro), une **demi-bouteille** (*yn dâ-mí bu-téi*) (330 ml) ou **une bouteille** (*yn bu-téi*) (750 ml). Você pode pedir o vinho da casa em **une carafe** (*yn ca-rráf*) ou **un pichet** (*ã pi-chê*) (uma jarra).

Geralmente, você só será servido água à mesa se pedir "**Une carafe d'eau, s'il vous plaît**" (*yn ca--rráf dô sil' vu plé*) (uma garrafa/jarra de água, por favor). Muitas pessoas preferem água engarrafada e pedem-na pela sua marca, **une bouteille d'Evian, de Vittel ou de Perrier** (*yn bu-téi de-viã, de vi-tél' u dê pê-rriê*).

Pagando a Conta

Na França, não espere que o garçom venha até você com a conta, a não ser que você peça por ela. Os franceses, como os brasileiros, consideram falta de educação trazer a conta antes que o cliente a peça. Quando estiver pronto, use as seguintes frases para pagar sua conta:

- **L'addition, s'il vous plaît.** (*la-di-ciõ sil' vu plé*) (A conta, por favor.)
- **Vous prenez les cartes de crédit?** (*vu prrê-nê le cart dê crrê-dí?*) (Você aceita cartão de crédito?)
- **Le pourboire est compris.** (*lâ pur-buár é cõ-prrí*) (A gorjeta está incluída.)

Palavras a Saber

un tas de...	ã tá dê	muito...
cher/pas cher	chér/pá chér	caro/barato
d'accord	da-cór	OK, tudo bem
quelque chose	kél'-kâ chôz	alguma coisa
Vous êtes prêts?	vu-zét prré?	Estão prontos?

(continua)

la même chose	la mém' chôz	a mesma coisa
l'addition	la-di-ciõ	a conta
le pourboire	lâ pur-buár	a gorjeta
laisser un pourboire	lé-ssé a pur-buár	deixar uma gorjeta
la carte de crédit	la cart dê crrê-dí	cartão de crédito
accepter	a-ksêp-tê	aceitar

Capítulo 6

Comprando Até Não Aguentar Mais!

Neste capítulo

- Achando as lojas e as roupas certas
- Visitando os mercados de alimentos
- Comprando o que você achou
- Comparando maçãs e laranjas

Le shopping (*lê chóping*) é pura diversão! É claro, é preciso conhecer os mercados – seja porque você não consegue resistir a todas aquelas verduras fresquinhas e aquelas maravilhosas bisnagas de pão torradinhas, ou seja porque gastou todo seu dinheiro com perfumes de marca e agora precisa de uma pausa para se alimentar. Este capítulo ajuda você a navegar pela experiência de fazer compras à francesa.

Saindo às Ruas para Conhecer a Cidade

Caso não saiba por onde começar ou não tenha a mínima ideia do que deseja comprar, **un grand magasin** (*ã grrã ma-ga-zãn*) (uma loja de departamentos) pode ser uma boa escolha. Veja algumas outras possibilidades:

- **Les centres commerciaux** (*le sã-trrâ co-mêr-ciô*) (shopping centers)
- **La boutique** (*la bu-tík*) (a butique)

- **La librairie** (*la li-brré-rrí*) (a livraria)
- **La bijouterie** (*la bi-ju-te-rrí*) (a joalheria)
- **Le bureau de tabac** (França), **la tabagie** (Québec) (*lâ by--rrô dê tá-bá, la ta-ba-gí*) (a tabacaria)
- **La dépanneuse** (Québec) (*la dê-pa-nâz*) (a loja de conveniências)

Andando pela loja

Quando você decidir ir às compras, talvez valha a pena ligar antes para saber o horário de funcionamento da loja. Veja algumas perguntas que podem ajudar:

- **À quelle heure ouvrez-vous/fermez-vous?** (*a kél' âr u-vrrê vu/fêr-mê vu?*) (A que horas vocês abrem/ fecham?)
- **Quelles sont vos heures d'ouverture?** (*kél' sõ vo-zâr du-vér-tyr?*) (Qual é o seu horário de funcionamento?)
- **Êtes-vous ouverts le dimanche?** (*éte-vu u-vér lâ di-mã--che?*) (Vocês estão abertos aos domingos?)

Depois de saber o horário de funcionamento da loja, você decide só dar uma olhada; nada de comprar, só olhar:

- **Je peux vous aider?** (*jâ pâ vu-zê-dê?*) (Posso ajudar?)
- **Non, merci, je regarde seulement.** (*nõ, mér-cí. Jâ rê--gar sâl'-mã*) (Não, obrigado. Só estou olhando.)

Palavras a Saber

le magasin	lâ ma-ga-zã	a loja
le rez-de-chaussé	lâ rê-dê-chô-cê	térreo
les rayons	le rê-iõ	as seções de uma loja

(continua)

Palavras a Saber

une vendeuse	yn vã-dâz	uma vendedora
les renseignements	lê rã-ssânh-mã	o balcão de informação
les escaliers roulants	le-zes-ka-li-ê ru-lã	a escada rolante
lascenseur	la-ssã-sâr	o elevador
la caisse	la késs	o caixa
les soldes (França)	le sól'de	a liquidação
l'aubaine (Québec)	(lôbén)	a liquidação

A coisa está ficando mais séria! Você tem uma enorme lista de compras a fazer, mas a loja é um labirinto e você precisa de ajuda para achar o que quer:

- **Pouvez-vous m'aider, s'il vous plaît?** (*pu-vê vu mê-dê sil' vu plé?*) (Você poderia me ajudar, por favor?)
- **Je voudrais un renseignement?** (*jâ vu-drré ã rã-ssãnh-ma?*) (Eu gostaria de uma informação?)
- **Je cherches...?** (*jâ chér-che?*) (Estou procurando...)
- **Pardon, madame, où sont les parfums?** (*pardõ, ma-dam', u sõ le par fã?*) (Perdão, senhora, onde estão os perfumes?)

- **Ici, au rez-de-chaussé.** (*i-cí, ô rê-dê-chô-cê*). (Aqui no térreo.)
- **Les vêtementes pour dames, s'il vous plâit.** (*lê vét--mã pur dam' sil' vu plé*). (As roupas femininas, por favor.)
- **C'est au troisième étage.** (*cé-tô trruá-ziém' ê-tá-ge*). (É no terceiro andar.)
- **Excusez-moi, je cherche les compact disques.** (*eks--ky-zê muá, jâ chér-che le cõ-pakt disk*). (Desculpe-me, estou procurando os CDs.)
- **Ils sont au sous-sol, à côté des livres.** (*Il' sõ-tô-su-sól', a cô-tê dê lí-vrre*). (Eles ficam no subsolo, ao lado dos livros.)

Palavras a Saber

attendez un instant	a-tã-dê ãn-tã	aguarde um instante
aider	ê-dê	ajudar
essayer	ê-sê-iê	experimentar/ provar
les cabines d'essayage	le ca-bín' dê-sê-iá-ge	os provadores
au fond	ô fõ	nos fundos
à gauche	a gô-che	à esquerda
à droite	a drruá	à direita
un peu	ã pâ	um pouco
trop	trô	demais
pas du tout	pá dy tu	absolutamente
tant pis	tã pí	muito ruim/mal

Comprando roupas como um profissional

Comprar roupas envolve todos os tipos de situações, como, por exemplo, achar o tamanho certo, o tecido certo e a cor certa.

Achando o tamanho certo

Em francês, a palavra para tamanho é **la taille** (*la tái-iê*), mas muitas vezes, nem é preciso dizer a palavra, como nos seguintes exemplos:

- **Je fais du 36.** (*jâ fé dy trãt-sís*) (Eu uso 36.)
- **Je voudrais essayer une robe en 40.** (*jâ vu-drré ê-sê-iê yn rób ã carrã*) (Eu gostaria de provar um vestido no tamanho 40.)
- **Est-ce que vous l'avez en plus petit?** (*és-kâ vu la-vê ã ply pâ-ti?*) (Você o tem em tamanho menor?)

Obviamente, se nada funcionar, é sempre possível pedir por **petit** (*pâ-tí*), **moyen** (*muá-iã*), **large** (*lár-ge*) ou **extra-large** (*eks-trrá lár-ge*) (pequeno, médio, grande ou extragrande).

Em francês, existem duas palavras que significam tamanho: **la taille** é usada para altura e roupas e **la pointure** (*la puã-tyr*) para sapatos.

Use as seguintes frases para descrever como uma roupa ou um sapato lhe serve. A frase varia, obviamente, de acordo com a pessoa com a qual você está falando. Diga:

- **Ça me va.** (*sá mê vá*) (Isso me serve.)
- **Ça te va bien.** (*sá tê vá biã*) (Isso serve bem em você.) [informal]
- **Ça lui va mal.** (*sá ly-í vá mal'*) (Isso não serve para ele/ela.)
- **Ça ne nous va pas.** (*sá nê nu vá pá*) (Isso não nos serve.)
- **Ça vous va très bien.** (*sá vu vá trré biã*) (Isso serve muito bem em você.) [formal]
- **Ça ne leur va pas du tout.** (*sá nê lâr vá pá dy tu*). (Isso não serve neles/nelas absolutamente.)

Descrevendo cores e tecidos

Ao falar sobre materiais, usa-se **en** depois do verbo ou **de** depois do substantivo, como nos seguintes exemplos:

- **Cette veste est en laine. C'est une veste de laine.** (*cét vést-é-tã lén. cét-yn véste dê lén*). (Esta jaqueta é de lã. É uma jaqueta de lã.)
- **Je voudrais un foulard de soie.** (*jâ vu-drré ã fu-lár dâ suá*) (Eu gostaria de um cachecol de seda.)
- **Est-ce que ces chaussures sont en cuir?** *(ês-kâ cê chôssyr sõ-tã cyír)* (Esses sapatos são de couro?)

A propósito, veja abaixo uma lista de materiais caso você precise:

- **la laine (*la lén*) (lã)**
- **la soie (*la suá*) (seda)**
- **le coton (*lâ co-tõ*) (algodão)**
- **le velours côtelé (*lâ vê-lur cô-tâ-lê*) (veludo cotelê) (França)**
- **le corduroy (*lâ cór-dy-rruá*) (veludo cotelê) (Quebec)**
- **le cuir (*lâ cu-ír*) (couro)**

Quando estiver escolhendo roupas, o que é mais importante do que **la couleur** (*la cu-lâr*) (a cor)? Veja a tabela 6-1.

Tabela 6-1 Cores

Cor	*Pronúncia*	*Tradução*
noir/noire	nuár	preto/preta
marron	ma-rrõ	marrom
blanc/blanche	blã/blã-che	branco/branca
bleu/bleue	blâ	azul (masculino)/ azul (feminino)
rouge	rú-ge	vermelho
vert/verte	vér/vért	verde (masculino)/ verde (feminino)

(continua)

jaune	jân'	amarelo
orange	ô-rrã-ge	laranja
foncé	fõ-cê	escuro
clair	clér	claro

O adjetivo da cor sempre vem depois do substantivo:

- **un pantalon noir** (*ã pã-ta-lõ nuár*) (calças pretas)
- **des chaussures vertes** (*de chô-ssyr vért*) (sapatos verdes)

Quando achar o item perfeito (ou se o vendedor estiver pronto para fazer a venda), você vai ouvir

- **Ça vous va à merveille.** (*sá vu vá a mér-véi*) (Isso lhe cai maravilhosamente.)
- **C'est à la mode.** (*cé-tá la móde*) (Está na moda.)

Vestindo-se: do chapéu aos sapatos

A tabela 6-2 traz **vêtements pour dames** (*vét-mã pur dam'*) (roupas femininas)

Tabela 6-2 Roupas Femininas

Francês	*Pronúncia*	*Tradução*
une robe	yn rób	um vestido
une jupe	yn jyp	uma saia
un tailleur	ã tai-âr	um terno
une veste*	yn vést	uma jaqueta

(continua)

un pantalon*	ã pã-ta-lõ	um par de calças
un jean*	ã jín’	jeans
un manteau	ã mã-tô	um casaco
un imperméable	ãn-ã-pér- -mê-a-blâ	um casaco de chuva
un chemisier	ã che-mi-ziê	uma blusa
un foulard	ã fu-lár	um cachecol
une chemise de nuit	yn che-míz dê nyí	uma camisola
une robe de chambre	yn rób dê chã-brre	um roupão
un maillot de bains	ã ma-iô dê bã	um maiô (França)
un costume de bains	ã cós-tym dê bã	um maiô (Québec)
des sous-vêtements	de su-vét- -mã	roupas íntimas

** Estes itens também são usados para roupas masculinas.*

E agora **vêtements pour hommes** (*vét-mã purróm’*) (roupas masculinas) na tabela 6-3.

Tabela 6-3 Roupas Masculinas

Francês	***Pronúncia***	***Tradução***
un complet	ã cõ-plé	um terno (França)
un habit	an-a-bí	um terno (Québec)

(continua)

un veston	ã vés-tõ	um paletó
un blazer	ã blá-zér	um blazer
une chemise	yn che-míz	uma camisa
une ceinture	yn sã-tyr	um cinto
des chaussettes (fem)	de chô-sséte	meias
un pardessus	ã par-dê-sy	um sobretudo
un chapeau	ã cha-pô	um chapéu
une cravate	yn crra-vát	uma gravata

Existem algumas palavras em francês que foram emprestadas do inglês. Mas essas palavras às vezes têm significado um pouco diferente. Veja algumas:

- **le tee-shirt** (*lâ ti-chârt*) (camiseta)
- **le sweat** (*lâ suít*) (blusa de moleton)
- **le jogging** (*lâ jó-guíng*) (o conjunto de moleton)
- **le pull** (*lâ pul'*) (suéter)
- **le slip** (*lâ slip*) (cueca)

Agora os sapatos:

- **les sandales** (*le sã-dál'*) (sandálias)
- **les bottes** (*le bót*) (botas)
- **les chaussures à talons** (*le chô-ssyr a ta-lõ*) (sapatos de salto alto)
- **les baskets** (*le bas-két*) (tênis)
- **les chaussons** (*le chô-ssõ*) (chinelos)
- **une paire de chaussures** (*yn pér dê cho-ssyr*) (um par de sapatos)

Palavras a Saber

étroit	ê-trruá	estreito
large	lár-ge	largo
un autre	ãn-ôtrre	outro
Combien coûte...?	cõ-biã cút	quanto custa...?
joli	jô-lí	bonito
aujourd'hui	ô-jur-dyí	hoje
absolument	ab-so-ly-mã	absolutamente

Indo ao Mercado e à Pâtisserie

Desde mercados ao ar livre a supermercados e várias lojas de especialidades, as próximas seções põem você na rua para encontrar o peixe para o jantar de hoje à noite ou aquele confeite delicioso que lhe dá água na boca.

Ar fresco e comida fresca: o mercado ao ar livre

Os mercados ao ar livre são uma maravilha. São principalmente bons em cidades pequenas do interior onde é possível desfrutar a comida local e apreciar o barulho, os odores e os sotaques. Os lugares maiores e muitas pracinhas de cidades pequenas também têm **les halles** (*le-zál'*) (um mercado interno). Que melhor maneira para praticar o seu francês?

Nos mercados ao ar livre, os vendedores vendem praticamente tudo. A tabela 6-4 é uma lista resumida das coisas que você poderá encontrar em um mercado local.

Tabela 6-4 Itens de mercado

Francês	Pronúncia	Tradução
la viande	la viãd	carne
le poisson	l puá-ssõ	peixe
les fruits	lê frry-í	frutas
la pomme	la póm'	maçã
la banane	la ba-nán'	banana
la poire	la puár	pera
la pêche	la pé-che	pêssego
l'orange (fem)	lo-rrã-ge	laranja
la fraise	la frréz	morango
les légumes	le lê-gym'	legumes
la laitue	la lé-ty	alface
la tomate	la to-mat	tomate
la carrote	la ca-rrót	cenoura
l'oignon (masc)	lo-nhõ	cebola
la fleur	la flâr	flor

Veja algumas frases que você pode ouvir ou querer praticar no mercado:

- **Qu'est-ce que tu aimes comme fruits?** (*kés-kâ ty ém' cóm' frry-í?*) (Que tipo de fruta você gosta?)
- **Tous! Mais à cette saison, je préfère les pêches.** *(tus mé a cét sê-zõ jâ prrê-fér le pé-che)* (Todas, mas nesta estação do ano, prefiro pêssegos.)
- **Est-ce qu'il y a des pêches ici?** (*és-kil' iá de pé-che i-cí?*) (Há pêssegos aqui?)
- **Oui, mais là-bas, elles sont plus belles et moins chères.** (*uí, mé lá-bá l' sõ ply béle' ê muã chér*) (Sim, mas, logo ali, eles estão mais bonitos e menos caros.)
- **Donnez-moi un kilo de pêches, s'il vous plaît.** (*dõ-nê muá ã ki-lô dê pé-che sil' vu plé*) (Dê-me um quilo de pêssegos, por favor.)
- **Choisissez!** (*chuá-zi-ssê*) (Escolha!)
- **Voilá, madame, et avec ça?** (*vuá-lá ma-dám' ê avék sá?*) (Aqui está, senhora, algo mais?)
- **C'est tout. Ça fait combien?** (*cé-tu. sá fé cõ-biã?*) (É tudo. Quanto é?)

Encontrando lojas de alimentos de todos os tamanhos

Quando não se tem tempo para ir ao mercado ao ar livre, o supermercado ajuda bastante. A França possui alguns supermercados enormes que beiram as estradas na entrada das cidades. Alguns são tão grandes que são chamados de **hypermarchés** (*hi-pér-mar-chê*) (hipermercados) em vez de **supermarchés** (*sy-pér-mar-chê*) (supermercados). Mas, se você visitar a França e tiver algum tempo livre, descubra as pequenas lojas de comida. Com certeza, você vai gostar.

A seguir, veja alguns **les petits magasins** (*le pâ-tí ma-ga-zã*) (pequenas lojas [de alimentos]):

- **la boulangerie** (*la bu-lã-ge-rrí*) (padaria)
- **la pâtisserie** (*la pa-ti-sse-rrí*) (confeitaria)
- **la boucherie** (*la bu-che-rrí*) (açougue)
- **la charcuterie** (*la char-ky-te-rrí*) (casa de frios)
- **l'épicerie** (*lê-pi-ce-rrí*) (mercearia)
- **la crémerie** (*la crré-me-rrí*) (leiteria/loja de laticínios)
- **le marchand de fruits et légumes** (lâ mar-chã dê frry-í ê lê-gym') (mercado de frutas e legumes)

Veja alguns exemplos com este vocabulário em ação:

- **On achète du pain à la boulangerie.** (*õn a-chét dy pã a la bu-lã-ge-rrí*) (Compra-se pão na padaria.)
- **L'épicier vend du café, du thé et des épices.** (*lê-pi-ciê vã dy ca-fê, dy tê ê dê-zê-pís*) (O dono da mercearia vende café, chá e temperos.)

Pesando e Medindo

Os países francófonos utilizam o sistema métrico. A unidade básica de peso é o grama e geralmente se compram frutas, verduras, legumes ou carne em múltiplos do grama básico:

- **un gramme** (*ã grrãm'*) (um grama)
- **un kilogramme/un kilo** (*ã ki-lo-grrãm'/ã ki-lô*) (um quilo)
- **une livre** (*yn lí-vrre*) (uma libra)

No que diz respeito a medidas de líquidos, a unidade básica é **le litre** (*lâ li-trre*) (o litro). Um litro é igual a 100cl, **centilitres** (*sã-ti-lít-trre*) (centilitros).

Ao falar sobre quantidades não especificadas, os franceses utilizam um artigo que não temos em português. Ele é chamado de **partitif** (*par-ti-tíf*) porque descreve uma "parte" de uma quantidade. Sua construção é feita por meio da combinação da preposição **de** (de) com o artigo definido **le, la, les**:

- **de + le = du** (*dy*)
- **de + la = de la** (*dê lá*)
- **de + les = des** (*dê*)
- **de + l' = de l'** (*dêl'*)

Essas construções podem ser traduzidas como "algum/alguma/um pouco de", como neste exemplo:

Je voudrais du carburant. (*jâ vu-drré dy car-by-rrã*) (Eu gostaria de um pouco de gasolina.)

Pagando Pelo Seu Prêmio

Cartões de crédito são amplamente aceitos em países francófonos. No entanto, não convém dar por certo que você possa usá-los fora das cidades grandes e se puder usar cartões de crédito, é possível que tenha o tipo errado. Por isso, é melhor ter dinheiro à mão, trocado com um cheque de viagem ou retirado em um caixa eletrônico (veja o capítulo 3 para ter mais informações sobre as questões relativas a dinheiro). Veja o vocabulário que precisa para fazer todas aquelas compras que tanto deseja:

- **C'est combien?** (*cé cõ-biã?*) (Quanto é?)
- **Combien coûtent celles-ci?** (*co-biã cut cél'-cí*) (Quanto custam estas aqui?)
- **C'est bon marché.** (*cé bõ mar-chê*) (Está barato.)
- **C'est un peu cher, mais je les prends.** (*cé-tã-pâ chér mé jâ le prrã*) (Estão um pouco caros, mas vou levá-los.)
- **Est-ce que vous acceptez les cartes de crédit?** (*és-kâ vu ak-sép-tê le cárt dê crrê-dí?*) (Você(s) aceita(m) cartões de crédito?)

O equivalente à expressão "preciso de troco" (moedas pequenas) em português é **J'ai besoin de monnaie** (*jê be-zuã dê mõ-né*) em francês.

Lembre-se de que a palavra para "dinheiro" é **argent** (*ar-jã*) em francês.

Na França (em um café, por exemplo, quando o funcionário prefere que você pague com uma nota menor que 20 francos), é possível que você ouça a seguinte frase:

> **Avez-vous de la (petite) monnaie?** (*a-vê-vu dê la (pâ-tit) mõ-né?*) (Você tem dinheiro trocado?)

Em Québec, entretanto, na mesma situação você poderá ouvir:

> **Avez-vous du p'tit change?** (*a-vê-vu dy pti chã-ge?*), significando exatamente a mesma coisa do exemplo anterior.

Ou poderá ouvir em Québec:

> **Je voudrais faire du change.** (*jâ vu-drré fér dy chã-ge*). (Eu gostaria de trocar meu dinheiro.)

Na França, você diria:

> **Je voudrais faire de la monnaie** (*jâ vu-drré fér dê la mõ-né*), significando a mesma coisa que o exemplo anterior.

Palavras a Saber

tous	tus	todos/todas
lá-bas	lá-bá	Logo ali.
celui-ci (masc)/ celle-ci(fem)	sê-lyí-cí/sél'-cí	este/esta aqui

(continua)

celui-là (masc)/ celle-là (fem)	sê-lyí-lá/sél'-lá	aquele/aquela lá
voilà	vuá-lá	Aqui está.
et avec ça?	ê avék sá	Algo mais?
c'est tout	cé-tu	Isso é tudo

Comparando o Bom e o Melhor

O dinheiro é limitado e, por isso, é preciso ser cauteloso ao fazer compras – decidir o que é bom, o que é melhor e o que é o melhor.

Fazendo comparações

Para fazer uma comparação entre duas coisas ou duas pessoas, em francês usamos a seguinte regra para todos os adjetivos e advérbios:

- **plus ... que** (*ply ... kê*) (mais ... que)
- **moins ... que** (*muã ... kê*) (menos ... que)
- **aussi ... que** (*ô-cí ... kê*) (tão ... quanto)

Veja alguns exemplos:

- **La France est moins grande que le Canada.** (*la frrãs é muã grrãde kê lâ ca-na-dá*) (A França é menor (literalmente "menos grande") que o Canadá.)
- **On mange plus souvent des fruits en été qu'en hiver.** (*õ mã-ge ply su-vã de frryí an-êtê kã-ni-vér*) (A gente come frutas com mais frequência no verão do que no inverno.)
- **Les poires sont aussi chères que les pêches.** (*le puár sõ-tô-cí chér kê le pé-che*) (As peras são tão caras quanto os pêssegos.)

Não se pode usar a construção com "**plus**" com o adjetivo **bon** (*bõ*) (bom). Assim como em português, ele possui sua própria forma, **meilleur** (*mé-iâr*) (melhor).

Les fruits du marché sont meilleurs que les fruits du supermarché. (*le frryí dy mar-chê sõ mé-iâr kâ lê frryí dy sy-pér--mar-chê*) (As frutas do mercado são melhores que as frutas do supermercado.)

Usando superlativos

Quando você quiser dizer que algo é o melhor – ou o pior –, use o superlativo:

- **le/la/les plus ...** (*lâ/la/lê ply*) (o mais)
- **le/la/les moins ...** (*lâ/la/lê muã*) (o menos)

Em francês, os superlativos são formados com o adjetivo antes do substantivo ou com o adjetivo depois do substantivo.

Quando o adjetivo precede o substantivo

Quando o adjetivo vem na frente do substantivo (veja o capítulo 2 sobre a colocação de adjetivos), a construção é a seguinte:

- **C'est la moins jolie robe.** (*cé la muã jo-lí rób*) (É o vestido menos bonito.)
- **Eaton's est le plus grand magasin de Montréal.** (*Í-tons é lâ ply grrã ma-ga-zã dâ mõ-rrê-al'*) (Eaton's é a maior loja de departamentos de Montreal.)

Quando o adjetivo vem depois do substantivo

A construção do superlativo é um pouco diferente quando você usa um daqueles adjetivos que vêm depois do substantivo. Por exemplo:

- **C'est le garçon le plus intelligent de l'école.** (*cé la gar-çõ lâ ply-zâ-té-li-jã dâ lê-cól'*) (Ele é o menino mais inteligente da escola.)
- **Elle achète la robe la moins chère de la boutique.** (*él' a-chét la rób la muã chér dâ la bu-tík*) (Ela compra o vestido menos caro da loja.)

Assim como em português, não se pode usar "o mais" ou "o menos" para o adjetivo "bom" em francês. Para isso, o superlativo é **le meilleur** (*lâ mé-iâr*) (o melhor). Veja como usar:

On trouve le meilleur chocolat en Suisse. (*õ trrúv lâ mé-iâr cho-co-lá ã Sy-íss*) (Na Suíça, acha-se o melhor chocolate.)

Verbos Para Quem Gosta de Comprar

Ao fazer compras, você frequentemente usa os verbos **acheter et vendre** (*a-che-tê ê vã-drrâ*) (comprar e vender). **Acheter** é um verbo regular com uma pequena irregularidade: **Il achète** (*il' a-chét*) (Ele compra.) (Veja o capítulo 2 para obter mais informações sobre a conjugação de verbos.)

Vendre é um verbo irregular e é conjugado como mostrado na tabela 6-5.

Tabela 6-5 Vendre

Conjugação	*Pronúncia*	*Tradução*
je vends	jê vã	Eu vendo
tu vends	ty vã	Tu vendes
il/elle vend	il'/él' vã	Ele/ela vende
nous vendons	nu vã-dõ	Nós vendemos

(continua)

vous vendez	vu vã-dê	Você vende
ils/elles vendent	il'/él' vãd	Eles/elas vendem

Aimer (*ê-mê*) (gostar/amar) é um verbo muito importante para fazer compras, e como verbo regular terminado em **-er**, sua conjugação é fácil (veja o capítulo 2).

Préférer (*prrê-fê-rrê*) (preferir) também é um verbo terminado em **-er**, mas tem uma pequena irregularidade: as formas **je, tu, il** e **ils** mudam o som da segunda sílaba para "é" em vez de "ê". Por exemplo, **je préfère** (*jê prrê-fér*).

Veja alguns outros verbos que podem ser úteis:

- **aider** (*ê-dê*) (ajudar)
- **chercher** (*chér-chê*) (procurar)
- **choisir** (*chuá-zir*) (escolher)
- **donner** (*dõ-nê*) (dar)
- **essayer** (*ê-sê-iê*) (experimentar/provar)
- **montrer** (*mõ-trrê*) (mostrar)
- **payer** (*pê-iê*) (pagar)
- **porter** (*pôr-tê*) (usar (roupas))
- **voir** (*vuár*) (ver)
- **vouloir** (*vu-luár*) (querer)

Capítulo 7

Fazendo do Lazer uma Prioridade

Neste capítulo

- Curtindo a vida cultural da cidade
- Saindo de casa
- Praticando esportes

Os franceses trabalham muito, mas também sabem como relaxar. A França tem algo para todo mundo. Seja visitar um museu, ir a uma boate, praticar um esporte, ou seja assistir a um jogo, você com certeza vai se divertir se souber um pouco da língua.

Saindo pela Cidade

Ao visitar uma nova cidade, divirta-se conhecendo o máximo possível das opções de entretenimento local.

Visitando museus

Em Paris, você pode visitar muitos museus diferentes. A compra do **Carte Musées et Monuments** (*cárt my-zê ê mõ-ny-mã*) (um passe de museus) pode ser a melhor forma de conhecê-los. Veja uma pequena lista de alguns museus famosos e que talvez valham a pena visitar:

- **Le Louvre** (*lâ lu-vrrâ*): abriga algumas das esculturas e pinturas mais famosas do mundo, como, por exemplo a Vênus de Milo e a Mona Lisa (**La Joconde**) (*la jo-cõd*) de Leonardo da Vinci.
- **Musée d'Orsay** (*my-zê dór-sé*): abriga a mais bela coleção do mundo de pinturas de Van Gogh (*vã góg*) fora do Museu de Van Gogh em Amsterdã.
- **Versailles** (*vêr-sái*): Luís XIV o transformou em residência oficial da monarquia francesa. Nele, podem-se visitar os Apartamentos de Estado, a Sala dos Espelhos e a Capela Real.
- **Fontainebleau** (*fõ-tén-blô*): Napoleão estabeleceu sua corte aqui no início do século 19. Foi aqui também que o imperador assinou seus documentos de abdicação em 1814.

Ao passear pelos museus, lembre-se de que muitas obras de arte não foram feitas para suportar a intensidade do turismo moderno. É por isso que se veem avisos "**Photos au flash interdites**" (*fo-tô ô fléche ã-ter-dít*) (Proibido fotografar com flash.) Às vezes, salas ou até mesmo alas completas podem estar fechadas e você verá placas dizendo "**Défense d'entrer**" (*dê-fãs dã-trrê*) (Proibido entrar.)

Veja algumas frases que podem ajudar você a desfrutar ao máximo seu passeio em um museu:

- **Y a-t-il des réductions pour des étudiants?** (*Iá-til' dê rê-dyk-ciõ pur de-zê-ty-diã?*) (Há descontos para estudantes?)
- **Si vous avez votre carte d'identité, c'est moitié prix.** (*si vu-za-vê vó-trre cart di-dã-ti-tê, cé muá-tiê prri*) (Se você tiver sua carteira de estudante, é metade do preço.)
- **Avez-vous un guide en portugais?** (*a-vê-vu ã guíd ã pór-ty-gué?*) (Você tem um guia em português?)

- **À quelle heure est la prochaine visite guidée?** (*a kél' âr é la prro-chén' vi-zít gui-dê?*) (A que horas é a próxima visita guiada?)
- **Elle commence dans ... minutes.** (*él' cõ-mãs dã ... mi-nyt*). (Ela começa dentro de ... minutos.)
- **Deux adultes et un étudiant, s'il vous plaît.** (*dâz a-dyl't ê ãn-ê-ty-diã sil' vu plé*) (Dois adultos e um estudante, por favor.)

Palavras a Saber

Y a-t-il des réductions pour... ?	lá-til' de rê-dyk-ciõ pur	Há descontos para...?
carte d'identité	cart di-dã-ti-tê	carteira de identidade
moitié prix	muá-tiê prrí	metade do preço
la prochaine visite guidé	la prro-chén' vi-zít gui-dê	a próxima visita guiada

Indo ao teatro

O teatro francês é mundialmente famoso há séculos e oferece algo para todos os gostos e orçamentos, desde produções clássicas ao **avant-garde** (*avã-gard*) (moderno). Quatro dos cinco teatros nacionais da França estão localizados em Paris (o quinto fica em Estrasburgo). Faça reservas em um dos teatros nacionais com pelo menos duas semanas de antecedência, a não ser que você pretenda tentar conseguir alguns ingressos de "última hora".

Homens e mulheres devem vestir-se formalmente para irem ao teatro. Homens devem usar ternos escuros e mulheres, vestidos.

As estreias exigem trajes mais formais, tais como smokings e vestidos longos.

Veja algumas frases para quando estiver pensando em ir ao teatro:

- **Je veux aller au théâtre ce soir.** (*jâ vâ alê ô tê-a-trre sê suar*) (Quero ir ao teatro esta noite.)
- **Qu'est-ce qu'on joue?** (*kés kõ ju?*) (O que está em cartaz?)
- **Je ne connais pas beaucoup le français. Ça va me plaire?** *(jâ nê coné pá bocú lâ frrancé ça vamê plér)* (Não sei falar francês muito bem. Será que vou gostar?)
- **À quelle heure commence-t-elle?** (*a kél'âr cõ-mãs-tél'?*) (A que horas começa?)

Palavras a Saber

le théâtre	lê tê-a-trre	o teatro
un drame	ã drrâm'	um drama
triste	trríst	triste
une comédie	yne cõ-mê-dí	uma comédia
rigolo	ri-gô-lô	engraçado

Depois que tiver decidido a qual peça deseja assistir, você pode comprar os ingressos **au guichet** (*ô gui-chê*) (no guichê/na bilheteria) com "**le monsieur**" (*lâ mâ-siâr*), o vendedor de ingressos.

- **Je voudrais deux places à l'orchestre, s'il vous plaît.** (*jê vu-drré dâ plás a lór-kés-trrâ sil' vu plé*). (Eu gostaria de dois lugares na plateia, por favor.)
- **Tout est complet à l'orchestre.** (*tu-té cõ-plé a lór--kés-trrâ*) (Os lugares da plateia estão esgotados.)
- **Il y a deux places au premier rang au balcon.** (*il' iá dâ plás ô prrê-miê rã ô bal'-cõ*) (Há dois lugares na primeira fila da galeria)
- **Combien coûtent les billets?** (*cõ-biã cut le bi-iê?*) (Quanto custam os ingressos?)
- **Le lever du rideau est à quelle heure?** (*lâ lê-vê dy ri-dô ét-a-kél' âr?*) (A que horas sobem as cortinas?)

Palavras a Saber

la place	la plás	o lugar/o assento
à l'orchestre	a lór-kés-trrâ	lugares na orquestra
au balcon	ô bal'-cõ	na galeria
tout est complet	tu-té cõ-plé	esgotado
le premier rang	lâ prrê-miê rã	a primeira fila
le rideau se lève.	lâ ri-dô sê lév	A cortina sobe.
l'entracte	lã-trráct	o intervalo

Indo ao cinema

Às vezes, depois de um dia agitado de visita a lugares turísticos, é bastante relaxante ir ao cinema e simplesmente sentar-se. O cinema, inventado pelos franceses Auguste (*ô-gyst*) e Louis

Lumière (*lu-í ly-mi-ér*), estreou em Paris. O cinema francês é tão popular que mais de 300 filmes são exibidos em Paris por semana – mais do que em qualquer outra cidade do mundo. Portanto, depois de responder à seguinte pergunta:

Voulez-vous aller au cinéma? (*vu-lê-vuza-lê ô ci-ne-má?*) (Você quer ir ao cinema?)

você pode terminar a seguinte frase:

Je voudrais voir... (*jê vu-drré vuar...*) (Eu queria ver/assistir a...)

Obviamente, suas opções são praticamente ilimitadas, mas veja algumas possibilidades:

- **Un dessin animé** (*ã de-ssã a-ni-mê*) (um desenho animado)
- **Un documentaire** (*ã do-ky-mã-tér*) (um documentário)
- **Un film d'aventure** (*ã film' da-vã-tyr*) (um filme de aventura)
- **Un western** (*ã ves-térn*) (um faroeste)

Quando os filmes são indicados por **VO** (vê ô) (**version originale**) (*vér-siõ o-rri-gi-nál'*), significa que o filme é exibido em seu idioma original, com a legenda em francês.

Curtindo um concerto

Não importa a língua que você fale, a música é internacional. Se estiver sentindo-se sobrecarregado por ter que falar francês o tempo todo, tente ir a um concerto. No entanto, talvez seja necessário saber um pouco de francês para decidir a qual concerto ir.

- **Quel type de musique aimes-tu?** (*kél' típ dâ my-zík ém' ty?*) (De que tipo de música você gosta?)
- **J'adore la musique classique.** (*ja-dór la my-zík cla-ssík*) (Adoro música clássica.)
- **Il y a une symphonie de Mozart au parc ce soir. Veux--tu y aller?** (*il' iá yn sên-fõ-ní dê mo-zár ô parc sê suar. vâ ty i alê?*) (Há uma sinfonia de Mozart no parque esta noite. Você quer ir?)

Palavras a Saber

une symphonie	yn sin-fõ-ní	uma sinfonia
la musique classique	la my-zík cla-ssík	música clássica
la musique moderne	la my-zík mó-dérn'	música moderna
la musique rock	la my-zík rók	rock
la musique de jazz	la my-zík dê jáz	jazz
la musique techno	la my-zík téc-nô	tecno
le rap	lâ rap	rap
un orchestre de chambre	ãn-ór-kés-trrâ dê chã-brre	uma orquestra de câmara
aimer	ê-mê	gostar
ennuyeux	ãn-nyi-iâ	chato

(continua)

bizarre	bi-zár	estranho
bruyant	brryi-iã	barulhento
moderne	mó-dérn'	moderno

Não grite "**Encore!**" (*ã-kór*) em um concerto francês, a não ser que você queira que os artistas toquem ou apresentem a mesma peça novamente. Em vez disso, diga "**Bis**" (*bís*), que significa que você quer que eles toquem um pouco mais.

O verbo **jouer** (*ju-ê*) é um verbo regular terminado em **-er** e significa "jogar/tocar/brincar". Ao usar **jouer** para falar sobre instrumentos, use a preposição **de**. Use a preposição **au** quando estiver referindo-se a jogos ou a apresentações teatrais, cinematográficas ou musicais. Veja a tabela 7-1 com alguns exemplos de como usar **jouer**.

Tabela 7-1 Usando o verbo jouer (jogar/tocar)

Palavra	*Pronúncia*	*Tradução*
Je joue du piano.	jê ju dy pia-nô	Toco piano.
Tu joues de la guitare.	ty ju dê la gui-tár	Você toca guitarra/violão.
Nous jouons aux échecs.	nu ju-õ ô-ze-chék	Nós jogamos xadrez.
vous jouez de la trompette.	vu ju-ê dê la trrõ-pet	Você toca trompete.
Elles jouent du violon.	él' jue dy vio-lõ	Elas tocam violino.

Palavras a Saber

le piano	lâ pia-nô	piano
le violon	lâ vio-lõ	violino
la trompette	la trrõ-pet	trompete
la guitare	la gui-tár	guitarra/violão
les échecs	le-zê-chék	xadrez
les dames	le dâm'	damas

Arrasando nas boates

Se não estiver exausto depois de um dia inteiro de visitas a lugares turísticos, talvez você queira visitar um lugar um pouco mais vibrante. A maioria das grandes cidades possui várias boates que oferecem tudo, desde música ao vivo a dança.

Os europeus também tendem a se vestir mais formalmente para a noite da cidade. Usar preto é **de rigueur** (*dê ri-gâr*) (obrigatório).

Pronto para praticar algumas frases antes de encarar as boates?

- **Veux-tu aller en boîte? Nous pouvons danser.** (*vâ-ty a-lê ã buát? nu pu-võ dã-cê*) (Você quer ir a uma boate? Podemos dançar.)
- **Allons au club pour regarder une revue.** (*a-lõzô club pur râ-gar-dê yn râ-vy*) (Vamos a um bar/clube para assistir a um show.)
- **Faut-il réserver?** (*fô-til' rê-ser-vê?*) (É preciso reservar?)
- **Nous allons devoir faire la queue.** (*nu-za-lõ dê-vuar fér la kâ*) (Vamos ter que fazer fila.)
- **À quelle heure commence le spectacle?** (*a kél' âr cõ--mãs lâ-spec-tá-cle?*) (A que horas começa o espetáculo?)

Palavras a Saber

danser	dã-cê	dançar
une disco/discothèque	yne dis-cô/dis-co-ték	uma discoteca
un club	ã clyb	um clube/bar
une revue	yn râ-vy	um show
Faut-il réserver?	fô-til' rê-sér-vê?	É preciso reservar?

Além de dar gorjeta ao lanterninha em um concerto, teatro ou cinema, você também deve dar gorjeta ao atendente em banheiros públicos. Esse atendente é um personagem tão familiar da vida francesa que acabou recebendo um nome: **dame pipi** (*dám' pi-pí*).

Curtindo a Vida ao Ar Livre

Sair é uma ótima oportunidade para aprender novo vocabulário – principalmente, alguns verbos de ação.

Esquiando

Esteja você na Suíça, na França ou no Canadá, são muitas as oportunidades de **ski** (*skí*) (esqui de encostas/downhill) e **ski de fond** (*skí dê fõ*) (cross-country).

Palavras a Saber

un forfait	ã fór-fé	um passe para o teleférico
les conditions	lê cõ-di-ciõ	as condições (para esquiar)
la neige	le né-ge	a neve
poudreuse	pu-drrâz	em pó
rester	res-tê	ficar
acheter	ach-tê	comprar

Basta dizer as seguintes frases em voz alta e você estará nas encostas em pouco tempo:

- **Il fait très froid aujourd'hui.** (*il' fé trré frruá ô-jur-dyí*) (Faz muito frio hoje.)
- **Il y a beaucoup de neige.** (*il' iá bô-cu dê né-ge*) (Há muita neve.)
- **La neige est poudreuse, aussi.** (*la né-ge é pu-drrâz ô-cí*) (A neve está em pó também.)
- **Les conditions sont excellentes.** (*lê cõ-di-ciõ sõ-tek--ce-lãt*) (As condições são excelentes.)
- **Je voudrais deux forfaits pour une journée, s'il vous plaît.** (*jâ vu-drré dâ fór-fé pur yn jur-nê, sil' vu plé*) (Eu gostaria de dois bilhetes para o teleférico, por favor.)
- **Je voudrais louer des skis.** (*jâ vu-drré lu-ê dê skí*) (Eu gostaria de alugar alguns esquis.)
- **Voulez-vous des leçons de ski?** (*vu-lê-vu de lê-ssõ dê skí?*) (Você gostaria de aulas de esqui?)

Palavras a Saber

Je voudrais ...	jâ vu-drré	Eu gostaria de...
louer	lu-ê	alugar
l'équipement	lê-kip-mã	o equipamento
les leçons de ski	le lê-ssõ dê skí	As aulas de esqui.
les skis	le skí	os esquis

Indo à praia

Que tal brincar nas ondas? Nadar é algo bastante seguro, pois há salva-vidas supervisionando a maioria das praias. Mas, se você vir uma placa dizendo "**Baignade interdite**" (*bã-nhad-ã--ter-dit*), cuidado! Isso significa "Proibido banhar-se"!

Quando você faz algo consigo mesmo ou para si mesmo, é preciso usar um verbo reflexivo. Verbos reflexivos são verbos regulares ligados a um pronome para mostrar quem recebeu a ação do verbo. A ação de um verbo reflexivo sempre é feita pelo sujeito. A tabela 7-2 mostra o uso do verbo reflexivo **se baigner** (*sê bã-nhê*) (banhar-se).

Tabela 7-2 Se Baigner

Conjugação	*Pronúncia*
je me baigne	jâ mê bã-nh

(continua)

tu te baignes	ty tê bã-nh
il/elle se baigne	il'/él' sê bã-nh
nous nous baignons	nu nu bã-nhõ
vous vous baignez	vu vu bã-nhê
ils/elles se baignent	il'/él' sê bã-nhe

Veja alguns outros exemplos de verbos reflexivos usados em assuntos relacionados à praia:

- **Les enfants s'amusent sur la plage.** (*le-zã-fã sa-myz syr la pla-ge*) (As crianças se divertem na praia).
- **Nous nous promenons au bord de la mer.** (*nu nu prro-me-nõ ô bór dê la mér*) (Caminhamos na beirada da praia.)

Pratique as seguintes frases antes de ir para a água:

- **Allons à la plage!** (*a-lõza la plá-ge*) (Vamos à praia!)
- **Nous allons nager.** (*nu-za-lõ na-gê*) (Vamos nadar.)
- **Attendez! Vous oubliez la crème solaire.** (*a-tã-dê! vu-zu-bliê la crrém' só-lér*) (Esperem! Vocês esqueceram o protetor solar.)
- **Regarde les très grandes vagues!** (*rê-gárd le trré grrãd vag*) (Olhe aquelas ondas enormes!)
- **As-tu mon tuba et mes palmes?** (*a-ty mõ ty-bá ê mê pal'm?*) (Você tem o meu tubo de respiração e meus pés de pato?)
- **Je vais bronzer.** (*jâ vé brrõ-zê*) (Vou me bronzear.)

Palavras a Saber

les vagues	lê vag	as ondas
nager	na-gê	nadar
oublier	u-bliê	esquecer
se dépêcher	se dê-pe-chê	apressar-se
bronzer	brrõ-zê	bronzear
la crème solaire	la crrém' só-lér	protetor solar
le tuba	lê ty-bá	tubo de respiração
les palmes	lê pal'm	pés de pato
la plage	la plá-ge	a praia
s'amuser	sa-my-zê	divertir-se

Montando acampamento

Acampar é uma ótima forma de sair da rotina. Na França, os meses de julho e agosto são tradicionalmente a época em que os franceses, principalmente os parisienses, zarpam para as montanhas, por assim dizer. A maioria dos acampamentos possui chuveiros e restaurantes, além de locais separados para bicicletas e barracas. Muitos estão localizados ao longo das praias.

Acampar à beira das estradas é ilegal. No entanto, é possível pedir a um fazendeiro local permissão para montar sua barraca em suas terras. **Pouvons-nous camper ici, s'il vous plaît?** (*pu-võ nu cã-pê i-cí sil' vu plé?*) (Podemos acampar aqui, por favor?). É possível que ele deixe, desde que você deixe o local como o achou e não faça muito barulho nem destrua nada.

Palavras a Saber

monter la tente	mõ-tê la tãt	montar a barraca
les allumettes	lê-za-ly-méte	fósforos
faire un feu de camp	fér ã fâ dê cã	acender uma fogueira
un sac de couchage	ã sak dê cu-cha-ge	um saco de dormir
les douches	lê dúche	as duchas/chuveiros
les toilettes	lê tuá-lét	banheiros
les services	lê sér-vís	as instalações
Nous sommes arrivés.	nu sóm' a-rri-vê	Chegamos.
se lever	sê lâ-vê	levantar-se

Pronto para praticar? Tente as seguintes frases:

- **Montons la tente.** (*mõ-tõ la tãt*) (Vamos montar a barraca.)
- **Quels services y-a-t-il?** (*kél' sér-vís iá-til'?*) (Quais são as instalações que eles oferecem?)
- **Il y a des toilettes et des douches.** (*il' iá dê tuá-lét ê dê dúche*) (Eles têm banheiros e chuveiros.)
- **Voilà les sacs de couchage.** (*vuá-lá lê sák dê cu-cha--ge*) (Aqui estão os sacos de dormir.)

- **Trouves-tu les allumettes?** (*trrúv ty lê-za-ly-méte?*) (Você achou os fósforos?)
- **Je vais faire un feu de camp.** (*jâ vé fér ã fâ dê cã*) (Vou fazer uma fogueira.)

Palavras a Saber

aller	a-lê	ir
pêcher	pê-chê	pescar
Je n'aime pas...	jâ ném' pá'	Não gosto de...
lire	lír	ler
attraper	a-trra-pê	pegar
le poisson	lâ puá-ssõ	peixe
la canne à pêche	la cã-na-pé-ch	a vara de pescar
les vers	lê ver	minhocas
dégoûtant	dê-gu-tã	nojento

Pescar é algo interessante quando estamos acampando.

- **Je vais pêcher.** (*jâ vé pê-chê*) (Vou pescar.)
- **J'espère attraper des poissons pour le dîner.** (*jes--pér a-trra-pê dê puá-ssõ pur lê di-nê*) (Espero pegar alguns peixes para o jantar.)
- **Tu as ta canne à pêche?** (*ty a ta cã-na-pé-ch?*) (Você tem a sua vara de pescar?)

- **Oui, et des vers aussi.** (*uí, ê dê vér ô-cí*) (Sim, e as minhocas também.)
- **Dégoûtant! Allez!** (*dê-gu-tã! a-lê!*) (Nojento! Saia para lá!)

Esportes, Esportes, Esportes

Hoje, os franceses são muito mais voltados para os esportes do que no passado. Os jovens regularmente participam de times e competem em esportes, tais como os mostrados na tabela 7-3:

Tabela 7-3 Esportes

Francês	*Pronúncia*	*Tradução*
le basket	lâ bas-két	basquete
le football	lâ fut-ból'	futebol
le rugby	lâ ryg-bí	rugby
la natation	la na-ta-ciõ	natação
le tennis	lâ té-níz	tênis
la randonnée	la rã-dõ-nê	trilha
le cyclisme	lâ ci-cliz-m	ciclismo
la voile	la vuál'	vela
la planche à voile	la plã-cha vuál'	windsurf

Palavras a Saber

le basket	lâ bas-két	basquete
le football américain	lâ fut-ból' a-mê-rri-kã	futebol americano

(continua)

le coup d'envoi	lâ cu dã-vuá	chute inicial
une equipe	yn ê-kíp	uma equipe/um time
gagner	ga-nhê	ganhar
marquer un point	mar-kê ã puã	marcar um ponto
manquer	mã-kê	perder/errar
un but	ã byt	um gol
égalité	ê-ga-li-tê	empate

Os franceses utilizam dois verbos diferentes quando falam sobre praticar esportes: **faire de** (*fér dâ*) para esportes individuais e **jouer au** (*ju-ê ô*) para esportes em equipe. **Faire** (*fér*), um verbo irregular, usa a preposição **de** (*dâ*) e suas variantes, ao passo que **jouer** (*ju-ê*), um verbo regular terminado em **-er**, usa a preposição **au** (*ô*) e suas variantes. Veja na tabela 7-4 como conjugar o verbo **faire**. **Jouer** foi conjugado anteriormente na seção "Curtindo um concerto" deste capítulo.

Tabela 7-4 Faire

Conjugação	*Pronúncia*	*Tradução*
je fais du tennis.	jâ fé dy te-níz	Eu jogo tênis.
Tu fais du tennis.	ty fé dy te-níz	Você joga/Tu jogas tênis.
Elle fait du tennis.	él fé dy te-níz	Ela joga tênis.

(continua)

Conjugação	*Pronúncia*	*Tradução*
Nous faisons du tennis.	nu fê-zõ dy te-níz	Nós jogamos tênis.
Vous faites du tennis.	vu fét dy te-níz	Você joga /Vós jogais tênis.
Ils font du tennis.	il' fõ dy te-níz	Eles jogam tênis.

Capítulo 8

Quando é Hora de Trabalhar

Neste capítulo

- Dando um telefonema
- Marcando reuniões e fazendo negócios
- Usando a Internet

Nem todas as viagens ao exterior são puro lazer. Se esta for sua primeira viagem de negócios a um país de língua francesa, tenha certeza de que todos querem que sua visita seja agradável. E qualquer esforço que você fizer para falar francês vai causar uma boa impressão – e, quem sabe, talvez render bons negócios. Este capítulo ensina a você as noções básicas das atividades de negócios.

Pegando o Telefone

Dar – ou receber – um telefonema em francês pode ser assustador, mas o melhor a fazer é respirar fundo e não hesitar em pedir à pessoa do outro lado da linha para falar mais devagar dizendo "**Parlez plus lentement, s'il vous plaît**" (*par-lê ply lãt-mã, sil' vu plé*) (Fale mais devagar, por favor.)

Em francês, como em português, existem duas palavras para cumprimentar uma pessoa. Usa-se **allô** (*a-lô*) quando se atende ao telefone e **bonjour** (*bõ júr*) quando se cumprimenta uma pessoa em outra situação. Em francês, o som do telefone é **drin-drin** (*drrín, drrín*), parecido ao nosso trim-trim.

A lista a seguir traz algumas frases básicas usadas em conversas ao telefone:

- **Allô**. (*a-lô*) (Alô.)
- **C'est Pierre.** (*cé piér*) (É Pierre)
- **Ça va?** (*sá vá?*) (Como vai?)
- **Est-ce que Monique est là?** (*és-kâ mõ-ník é lá?*) (A Monique está?)
- **Un moment, s'il vous plaît**. (*ã mõ-mã, sil' vu plé*) (Um momento, por favor.)
- **Ne quitte pas.** (*nê kít pá*) (Não desligue.)
- **Au revoir.** (*ôr-vuár*) (Tchau/Adeus.)
- **À bientôt.** (*a biã-tô*) (Vejo você mais tarde.)

Muitas vezes, as pessoas com quem você está tentando falar não estão disponíveis. O diálogo a seguir mostra como deixar uma mensagem com alguém:

- **Christine: Allô?** (*a-lô*) (Alô?)
- **Pierre: Allô, Christine? C'est Pierre. Ça va?** (*a-lô, crris-tín'. cé piér. sá vá?*) (Alô, Christine. É Pierre. Como vai?)
- **Christine: Ça va bien. Et toi?** (*sá vá biã. ê tuá?*) (Tudo bem, e você?)
- **Pierre: Bien. Est-ce que Marc est là?** (*biã. és-kâ mark é lá?*) (Bem. Marc está aí?)
- **Christine: Non, il fait les courses.** (*nõ, il' fé le cúrs*) (Não, ele saiu às compras.)
- **Pierre: Dommage! Dis-lui que j'ai téléphoné.** (*do--má-ge! dí-ly-í kê jâ tê-lê-fõ-nê*) (Puxa! Diga a ele que telefonei.)
- **Christine: Bien sûr. Salut, Pierre.** (*biã syr. sa-ly piér*) (OK. Tchau, Pierre.)
- **Pierre: Salut, Christine.** (*sa-ly, crris-tín'*) (Tchau, Christine.)

Palavras a Saber

Dis-lui que j'ai téléphoné.	dí-ly-í kê jâ tê-lê--fõ-nê	Diga a ele que telefonei.
il fait les courses.	il' fé le cúrs	Ele saiu às compras.
salut	sa-ly	tchau
un répondeur	ã rê-põ-dâr	uma secretária eletrônica

Reunião no Escritório

As próximas seções ensinam algumas palavras para que você possa marcar compromissos de negócio e conduzir uma reunião.

Marcando um compromisso

Na França e na Bélgica, as empresas consideram de bom tom marcar compromissos com várias semanas de antecedência. Além disso, não espere que as secretárias francesas marquem compromissos. A maioria delas não tem acesso à programação de seus chefes. O melhor é entrar em contato direto com a pessoa com a qual você está tentando encontrar-se.

- **Bonjour. Dan Thompson à l'appareil. passez-moi M. Seiffert, s'il vous plaît.** (*bõ-júr. dan thompson a la-pa-rréi. passê muá mâ-siâ si-fér, sil' vu plé*) (Alô. Aqui quem fala é Dan Thompson. Eu gostaria de falar com o Sr. Seiffert.)
- **Un instant. Ne quittez pas.** (*ãn-ãs-tã. nê ki-tê pá*) (Um instante. Não desligue.)

- **Il est dans son bureau. Je vous le passe.** (*il' é dã sõ by-rrô. jâ vu lâ páss*) (Ele está em seu escritório. Vou transferi-lo para você.).
- **Je vais à Nice le 14 juin.** (*jâ vé a nís lâ ca-tórz jyã*) (Vou a Nice no dia 14 de junho.)
- **Je voudrais fixer un rendez-vous pour discuter...** (*jê vu-drré fik-sê ã rã-dê-vu pur dis-ky-tê*) (Eu gostaria de marcar um encontro para discutir...)
- **Je consulte mon calendrier.** (*ja cõ-syl't mõ ca-lã--drriê*) (Vou consultar minha agenda.)
- **Ça va, je suis libre le 14 juin à 15h30.** (*sá vá, jâ syí li-brre lâ ca-tórz jyã a kãz âr trãt*) (Tudo bem, estou livre no dia 14 de junho às 15h30.)
- **Malheureusement, je ne peux pas.** (*ma-lâ-rrâz--mã, jâ nê pâ pá*) (Infelizmente, não posso.)
- **Je suis pris.** (*jâ syí prrí*) (Estou ocupado.)
- **Je suis en déplacement.** (*jâ syí ã dê-pláss-mã*) (Estarei fora a negócios.)

Conduzindo uma reunião

Para uma reunião de negócios, as seguintes frases podem ser necessárias:

- **Asseyez-vous.** (*a-ssê-iê vu*) (Sente(m)-se.)
- **Vous avez reçu mon message électronique?** (*vu-za-vê rê-ssy mõ me-ssa-ge ê-lék-trrõ-ník?*) (Você recebeu minha mensagem eletrônica?)
- **Je l'ai reçu.** (*jâ lê rê-ssy*) (Recebi.)
- **Vous pouvez l'expliquer?** (*vu pu-vê leks-pli-kê?*) (Você poderia explicá-la?)
- **Puis-je utiliser votre téléphone?** (*pyí jâ y-ti-li-zê vó-trre tê-lê-fõ?*) (Eu poderia usar o seu telefone?)
- **Je me mets d'accord...** (j*â mê mé da-cór*) (Concordo em fazer...)
- **Je signe.** (*jâ sí-nhe*) (Eu assino.)

Palavras a Saber

l'accord	la-cór	o acordo
l'affaire	la-fér	o negócio
pendant	pã-dã	durante
une idée	yn i-dê	uma ideia
pratique	prra-tík	prático/a
télécopier	tê-lê-co-piê	passar um fax
faire les copies	fér le co-pí	fazer/tirar cópias
le déjeuner d'affaires	lâ dê-jâ-nê da-fér	o almoço de negócios
la poignée de main	la pua-nhê dê mã	o aperto de mãos

Navegando pela Internet

Em francês, a Internet é, às vezes, chamada de **la toile** (*la tuál'*) (a teia). É mais frequente, entretanto, os falantes de francês a chamarem de **Le Web** (*lâ uéb*) ou até mesmo W3 (*du-ble-vê trruá ou du-ble-vê kyb*). Veja na tabela 8-1 alguns termos comuns.

Tabela 8-1 Termos de Informática

Frase	*Pronúncia*	*Tradução*
surfer le Web	syr-fê lâ uéb	navegar a Web
un site	ã sít	um site
un login	ã ló-guin	um login
envoyer des messages électroniques	ã-vuá-iê de mê-ssa-ge-elék--trrõ-ník	enviar mensagens eletrônicas (e-mails)
l'adresse électronique	la-drré-sse-elék--trrõ-ník	o endereço eletrônico
s'abonner	sa-bo-nê	cadastrar-se
cliquer	cli-kê	clicar
une icône	yn i-cõ	um ícone

Em francês, também existe uma palavra para aquele pequeno sinal atualmente tão familiar a todos nós: @. Os franceses o chamam de **aroba** (*a-rro-bá*). Mas, raramente as pessoas usam essa palavra; elas preferem dizer **à**. Por último, o ponto em ".com" é **point** (*puã*), que significa, entre muitas outras coisas, o ponto final de uma frase.

Na Europa, cada endereço na Internet termina com as letras que identificam o país que hospeda aquele endereço. Na França, estas duas letras são `.fr`. Por exemplo, se quiser conectar-se ao site do Yahoo! na França, digite `www.yahoo.fr`. Mas, saiba de antemão – esse site é totalmente escrito em francês!

Capítulo 9

Circulando: Transportes

Neste capítulo

- Escolhendo o meio de transporte
- Passando pela alfândega
- Pedindo orientação

Basta pisar em um país de língua francesa e você é imediatamente bombardeado por uma avalanche de palavras em francês: o carregador, o motorista de táxi e os funcionários da alfândega – todos se dirigindo a você em francês. Não se preocupe – este capítulo vai ajudar você a passar pelo aeroporto, pela estação de trem ou pelo sistema de metrô, alugar um carro ou chamar um táxi e pedir orientação sobre como chegar a um lugar.

Circulando: Transportes

É preciso saber como circular em qualquer país de língua francesa em que você estiver. E como fazer isso? As próximas seções ensinam algumas frases básicas para você entrar em ação.

Táxis

Esteja você acabando de sair do aeroporto e precisando de ajuda para conseguir um táxi ou tentando circular pela cidade, as frases a seguir vão facilitar sua orientação:

- **Où sont les taxis, s'il vous plaît?** (*u sõ le ta-ksí sil' vu plé?*) (Onde estão os táxis, por favor?)
- **Vous voyez un porteur ou un chariot?** (*vu vuá-iê ã pór-târ u ã cha-rriô?*) (Você está vendo algum carregador ou um carrinho?)
- **Bruxelles, hôtel Gillon, s'il vous plaît.** (*Brry-ssél, ô-tél' gi-lõ sil' vu plé*) (Bruxelas, hotel Gillon, por favor.)
- **Avec plaisir. C'est dans quelle rue?** (*avék plé-zir. cé dã kél' ry?*) (Com prazer. Qual é a rua?)
- **Voyons... c'est 22 rue Albert. C'est combien?** (*vuá-iõ... cé vãt-dâ ry al'-bér. cé cõ-biã?*) (Vejamos... fica na rua Albert 22. Quanto é?)
- **Qu'est-ce que c'est le tarif normal?** (*kés-kâ cé la ta--rríf nor-mál'?*) (Qual é a tarifa normal?)
- **Je mets les valises dans le coffre?** (*jâ mé le va-líz dã lâ có-frre?*) (Coloco as malas no porta-malas?)
- **Je garde mon sac à dos avec moi.** (*jâ gár mõ sa-ka-dô avék muá*) (Vou levar minha mochila comigo.)

Palavras a Saber

le séjour	lâ sê-júr	estrada
les affaires (fem.)	le-za-fér	negócios
la semaine	la sâ-mén'	a semana
vous sortez	vu sór-tê	você sai
vous voyez	vu vuá-iê	você vê
la porte	la pórt	a porta
le chariot	lâ cha-rriô	o carrinho

(continua)

la rue	la ry	a rua
je mets	jê mé	eu coloco
la valise	la va-líz	a mala
le coffre	lâ có-frre	o porta-malas
le sac à dos	lâ sa-ka-dô	a mochila

Trens

No mundo todo, as estações de trem são sempre movimentadas, barulhentas e confusas, mas sempre é possível encontrar pessoas prestativas, tais como a polícia e os funcionários da estação, aos quais você pode dirigir-se para pedir orientação. Veja algumas frases úteis que você deve saber:

- **Pardon, où sont** (*par-dõ, u sõ*) (Perdão, onde estão?)

  les guichets? (*lê gui-chê?*) (Os guichês/as bilheterias?)

  les quais? (*lê ké?*) (As plataformas?)

  les renseignements? (*le rã-ssã-nhê-mã?*) (Os balcões de informação?)
- **Excusez-moi, où est** (*eks-ky-zê muá, u é?*) (Desculpe-me, onde está?)

  la consigne? (*la cõ-ssí-nhe*) (A sala de bagagens?)

  la salle d'attente? (*la sál' da-tãte?*) (A sala de espera?)

  le bureau des objets trouvés? (*lâ by-rrô de-zob-jé trru-vê?*) (Os achados e perdidos?)
- **Je voudrais un billet pour Versailles, s'il vous plaît.** (*jâ vu-drré ã bi-iê pur vér-sai, sil' vu plé*) (Eu gostaria de um bilhete para Versailles, por favor.)

- **Aller-simple ou aller-retour?** (*alê sã-plâ u a-lê-rê--tur?*) (Só de ida ou de ida e volta?)
- **Aller-retour. Deuxième classe.** (*a-lê-rê-tur. dâziém' cláss*) (De ida e volta. Segunda classe.)
- **Est-ce que je dois changer de train?** (*és-kâ jâ duá chã-gê dê trrã?*) (Tenho que trocar de trem?)
- **Vous avez une correspondance à Issy?** (*vu-za-vê yn co-rres-põ-dãs a i-cí?*) (Você tem uma conexão de trem em Issy?)
- **De quel quai part le train?** (*dê kél' ké par lâ trrã?*) (De qual plataforma sai o trem?)

Palavras a Saber

lâ train (pour)	lâ trrã (pur)	o trem (para)
la gare	la gar	a estação de trem
la ville	la víl'	a cidade
il prend	il' prrã	ele pega
le billet	lâ bi-iê	o bilhete
un aller-simple	ãn-a-lê sã-ple	um (bilhete) de ida
un aller-retour	ãn-a-lê-rê-tur	um (bilhete) de ida e volta
la correspondance	la co-rres-põ-dãs	uma conexão (trem/ônibus)
la place	la plass	o lugar/assento
la fenêtre	la fê-né-trre	a janela

Ônibus

Se tiver tempo, o ônibus é provavelmente a melhor forma não só de ter uma noção dos diferentes **quartiers** (*car-tiê*) (bairros) de uma cidade, mas também de conhecer um pouco as pessoas daquela cidade.

A propósito, você sempre deve **composter le billet** (*cõ-pós-tê lâ bi-iê*) (validar o bilhete) em uma máquina que fica instalada para essa finalidade dentro do ônibus. O passeio pode sair caro quando o **contrôleur** (*cõ-trro-lâr*) (fiscal) entra no ônibus para verificar os bilhetes. E isso acontece!

Veja algumas frases úteis para pegar o ônibus certo:

- **Excusez-moi. C'est bien le bus pour l'hôtel de ville?** (*eks-ky-zê muá. cé biã lâ byz pur lô-tél' dê vil'?*) (Desculpe-me. Aquele é o ônibus para a Prefeitura?)
- **Non, il faut prendre le bus numéro 67.** (*nõ, il' fô prrã-drrâ lâ byz ny-mê-rrô sua-ssãt sét*) (Não, você tem que pegar o ônibus nº 67.)
- **À quelle heure est-ce qu'il arrive?** (*a kél' âr és-kil' a-rrív?*) (A que horas ele chega/passa?)
- **Il passe tous les quarts d'heure, mais il est souvent en retard.** (*il' pass tu le car dâr mé il' é su-vã ã râ-tar*) (Ele passa a cada quinze minutos, mas está frequentemente atrasado.)
- **Et c'est à combien d'arrêts d'ici?** *(ê cê a cõbiã darré dicí)* (E é a quantas paradas daqui?)
- **Ce n'est pas très loin. C'est le prochain arrêt.** (*sâ né pá trré luã di-cí. cé lâ prro-chãn-a-rrét*) (Não é muito longe daqui. É a próxima parada.)

Metrô

Paris, Bruxelas, Lille e Lyon, além de Montreal, possuem sistemas de metrô. Para facilitar o uso dos sistemas, são colocados grandes mapas em cada estação. Nessas cidades, o preço da passagem é o mesmo, independentemente da distância percorrida.

É possível também obter mapas do **métro** (*me-trrô*) (metrô) em quiosques. As próximas frases podem ajudar você quando estiver andando de metrô:

- **Bonjour. Est-ce que vous avez un plan de métro?** (*bõ-júr. és-kâ vu-za-vê ã plã dê mê-trrô?*) (Olá. Você tem um mapa do metrô?)
- **Pour la Grande Place, c'est quelle ligne?** (*pur la grrãde plass, cé kél' lí-nhâ?*) (Para a Grande Place, qual é a linha?)
- **C'est direct avec la ligne 3.** (*cé di-rrékt avék la li-nhâ trruá*) (É direto, com a linha 3.)
- **Combien de temps est-ce qu'il faut?** (*cõ-biã dâ tã és-kil' fô?*) (Quanto tempo leva?)

Aluguel de carros

Se você gosta de dirigir e tem uma natureza curiosa, alugar um carro pode ser o máximo de prazer. Você pode parar onde quiser, mudar de plano de acordo com o tempo ou com o seu astral, sem se preocupar em atrapalhar os planos de outras pessoas. E, além disso, será mais uma chance de praticar o seu francês.

O primeiro lugar é uma locadora de automóveis:

- **Nous avons une réservation pour une voiture.** (*nu--za-võ yn rê-sér-va-ciõ pur yn vuá-tyr*) (Temos uma reserva para um carro.)
- **C'est pour dix jours?** (*cé pur di jur?*) (São para dez dias?)
- **Nous n'avons pas besoin d'assurance tous risques. C'est couvert avec la carte de crédit.** (*nu na-võ pá be-zuã da-ssy-rrãs tu rísk. cé cu-vér avék la car dê crrê-dí*) (Não precisamos de seguro total. O cartão de crédito já cobre isso.)
- **Dans quels pays allez-vous conduire?** (*dã kél' pe-í a-lê vu cõ-dy-ír?*) (Em quais países você vai dirigir?)

- **On met quoi comme carburant?** (*õ mé kuá cóm' car-by-rrã?*) (Que combustível devemos usar?)
- **Du sans-plomb.** (*dy sã-plõ*) (Sem chumbo.)
- **Voulez-vous rendre la voiture remplie ou vide?** (*vu--lê vu rã-drrâ la vuá-tyr rã-plí u víde?*) (Você deseja devolver o carro abastecido ou vazio?)
- **Nous rendons la voiture où?** (*nu rã-dõ la vuá-tyr u?*) (Onde devolvemos o carro?)
- **Voilà vos papiers et les clés.** (*vuá-lá vô pa-piê ê le clê*) (Aqui estão seus papéis e as chaves.)

Palavras a Saber

il arrive	il' a-rrív'	ele chega
il passe	il' pass	ele passa
à l'heure	a-lâr	na hora
en retard	ã rê-tar	atrasado
un arrêt	ãn a-rrét	uma parada
la ligne	la lí-nhe	a linha
il aide	il' éd	ele ajuda
le jour	lâ jur	o dia
une assurance	yn a-ssy-rrãs	seguro total
le pays	lâ pe-í	o país
conduire	cõ-dy-ír	dirigir
rendre	rã-drre	devolver

Na Europa e nos Estados Unidos, aparentemente a maioria dos postos de gasolina conta com autoatendimento, mas há exceções. As próximas frases podem ajudar você em caso do inesperado:

- **Où est-ce qu'il y a une station-service?** (*u és-kil' iá yne sta-ciõ sér-vís?*) (Onde há um posto de gasolina?)
- **Est-ce qu'il y a une station-service près d'ici?** (*és-kil' iá yne sta-ciõ sér-vís prré di-cí?*) (Há algum posto de gasolina perto daqui?)
- **Le plein, s'il vous plaît.** (*lã plã, sil' vu plé*) (Encha o tanque, por favor.)
- **du super/de l'ordinaire/du sans plomb/du diesel** (*dy sy-pér/dê lór-di-nér/dy sã-plõ/dy diê-zél*) (super/comum/sem chumbo/diesel)
- **Où est le compresseur pour l'air?** (*u é lâ cõ-prre--ssâr pur lér?*) (Onde está o calibrador?)

Passando pelo Controle de Passaporte

A primeira parte do processo para não ter problemas no controle de passaportes é ter certeza de que você está com os documentos certos. Veja algumas frases que poderão ser necessárias para descobrir essas informações:

- **Bonjour. C'est le consulat français?** (*bõ-júr. cé lâ cõ-ssy-lá frrã-cé?*) (Bom dia. É do consulado francês?)
- **Est-ce qu'il faut un visa pour aller en France?** (*és-kil' fô ã vi-zá pur a-lê ã frrãs?*) (É preciso ter um visto para ir à França?)
- **Il faut un passeport valide et c'est tout.** (*il fô ã pass-pór va-líd ê cé tu*) (É preciso um passaporte válido, e isso é tudo.)

Leia as seguintes frases para ter uma ideia do que os funcionários do controle de passaporte podem perguntar e como responder:

- **Bienvenue en France. Allez-vous rester en France pendant votre séjour?** (*biã-vê-ny ã frrãs. a-lê-vu res-tê ã frrãs pã-dã vó-trre sê-júr?*) (Bem-vindo à França. Você vai ficar na França durante sua estada?)
- **Non, je vais aussi à ...** (*nõ, jâ vé ô-cí a...*) (Não, vou também a...)
- **Et la raison de votre voyage?** (*ê la ré-zõ dê vó-trre vuá-iá-ge?*) (E o motivo de sua viagem?)
- **C'est pour les affaires et le plaisir.** (*cé pur le-za-fér ê lâ plé-zir*) (É a negócios e por lazer.)
- **Combien de temps restez-vous en tout?** (*cõ-biã dê tã rés-tê-vu ã tu?*) (Quanto tempo você vai ficar ao todo?)
- **Je vous souhaite un bon séjour!** (*jâ vu su-ét ã bõ sê-júr*) (Eu lhe desejo uma boa estada!)

Quando se fala sobre ficar em uma cidade, usa-se **à** (*a*) para expressar o "em" em português. Para países, usa-se geralmente **en** (*ã*), já que a maioria dos países é feminina, como **la France** (*la frrãs*), **la Suisse** (*la syíss*), **l'Italie** (*li-ta-lí*) e assim por diante. Para os poucos países que são masculinos, como **le Canada** (*lâ ca-na-dá*), **le Brésil** (*lâ brrê--zil'*), **le Portugal** (*lâ pór-ty-galâ'*), **les États-Unis** (*le-ze-tá-zy-ní*), e assim por diante, usa-se **au(x)** (*ô*), para indicar "em/no/nos". Por exemplo, diga:

- **Je vais en France, en Suisse, en Italie.** (*jâ vé-zã frrãs/ã syíss/an-i-ta-lí*) (Eu vou à França, à Suíça, à Itália.)
- **Je vais au Canada, au Portugal, aux États-Unis.** (*jâ vé-zô ca-na-dá, ô pór-ty-gal', ô-ze-tá-zy-ní*) (Eu vou ao Canadá, a Portugal, aos Estados Unidos.)

Para mais detalhes, veja o capítulo 4.

Palavras a Saber

contrôle des passports	cõ-trrôl' de pass-pór	controle de passaportes
douane	du-áne	alfândega
rien à déclarer	riã a dê-cla-rrê	nada a declarar
marchandises à déclarer	mar-chã-díz a dê-cla-rrê	bens a declarar
marchandises hors taxe	mar-chã-díz ór táks	bens sem incidência de impostos

É bem provável que você não seja abordado pelo funcionário da alfândega, exceto para entregar a ele os documentos alfandegários, mas caso ele escolha você para interrogar, veja o que dizer:

- **Avez-vous quelque chose à déclarer?** (*a-vê-vu kél'kâ chôz a dê-cla-rrê?*) (Você tem alguma coisa a declarar?)
- **Non, rien.** (*nõ, riã*) (Não, nada.)
- **Avez-vous des appareils électroniques?** (*a-vê-vu de-za-pa-réi ê-lék-trrõ-ník?*) (Você tem aparelhos eletrônicos?)
- **Seulement pour mon usage personnel.** (*sâl'-mõ pur mó-ny-zá-ge pér-so-nel'*) (Somente para uso pessoal.)
- **Pouvez-vous ouvrir votre sac?** (*pu-vê-vu u-vrrí vó-trre sak?*) (Você poderia abrir sua bolsa?)
- **Qu'est-ce que c'est que ça?** (*kés-kâ cé kâ sá?*) (O que é isso?)
- **C'est mon ordinateur portable.** (*cé mõ-nór-di-na-târ por-tá-ble*) (É meu laptop.)
- **Branchez-le là-bas, s'il vous plaît.** (*brrã-chê-lê lá-bá sil' vu plé*) (Ligue-o ali, por favor)

Pedindo Orientação

É possível que você esteja em uma cidade francesa e precise pedir informações para chegar a algum lugar. (Onde é o ponto de ônibus mais próximo? O banco? O banheiro?) As próximas seções ensinam algumas frases comuns que podem ajudar você a se achar novamente.

Fazendo perguntas com "onde"

Perguntas com "onde" são feitas da mesma forma que em português. O verbo geralmente ligado à palavra **où** (*u*) (onde) é o verbo ser/estar: **être** (*é-trrâ*).

- **Où est le Louvre?** (*u é lâ lu-vrrâ?*) (Onde é o Louvre?)
- **Où est la place Victor Hugo?** (*u é la plass vik-tôr y-gô?*) (Onde é a praça Victor Hugo?)
- **Où sont les toilettes?** (*u sõ le tuá-lét?*) (Onde fica o banheiro?)

Outro verbo, **se trouver** (*sâ trru-vê*) (encontrar-se/ficar) também é bastante usado neste contexto:

- **Où se trouve le Louvre?** (*u sê trruv lâ lú-vrrâ?*) (Onde se encontra/fica o Louvre?)
- **Où se trouve la place Victor Hugo?** (*u sê trruv la plass vik-tôr y-gô?*) (Onde se encontra/fica a praça Victor Hugo?)
- **Où se trouvent les toilettes?** (*u sê trruv le tuá-lét?*) (Onde se encontra/fica o banheiro?)

Observe que, em qualquer um dos casos, **où** é seguido do verbo, que é seguido do sujeito.

Essa estrutura de frase pode ser usada para todos os outros verbos com os quais você decide usar **où**:

- **Où va ce bus?** (*u vá sê byz?*) (Aonde vai este ônibus?)
- **Où mène cette rue?** (*u méne' cét ry?*) (Aonde leva esta rua?)

Respondendo perguntas com "onde"

Fazer uma pergunta é sempre fácil – responder a ela pode, às vezes ser um pouco complicado. No geral, use a preposição **à** (*a*), que significa "para", "a" ou "em" quando quiser dizer que está indo para uma cidade ou ficando naquela cidade. Por exemplo:

- **Je vais à Lille.** (*jâ vé a líle'*) (Vou a Lille.)
- **Ils sont à Montréal.** (*il' sõ-ta mõ-rê-al'*) (Eles estão em Montreal.)

No entanto, quando quiser falar sobre ir a lugares em geral, ou ficar nesses lugares, tais como museus, catedrais ou igrejas, é preciso acrescentar um artigo depois de **à**. Esse acréscimo pode ser um pouco complicado, porque **à** faz uma contração com o masculino, e somente com o masculino **le** (*lâ*) e o plural **les** (*lê*). Os exemplos a seguir mostram como **à** combina com cada um dos artigos:

- **Sylvie va au (à + le = au) musée.** (*sil'-ví vá ô myzê*) (Sylvie vai ao museu.)
- **Guy veut aller à la cathédrale.** (*guí vâ-ta-lê a la ca-tê-drrálâ'*) (Guy quer ir à catedral.)
- **Les Martin vont à l'église St. Paul.** (*le mar-tã võ-ta-lê-glíz sã pól'*) (Os Martin vão à igreja de St. Paul.)
- **Allez aux (à + les = aux) feux!** (*a-lê ô fâ!*) (Siga os semáforos!)

Às vezes, a resposta pode ser bastante rápida, principalmente quando o lugar sobre o qual você está perguntando está bem à sua frente. Sendo assim, você pode perguntar pelos correios ou um outro local, e alguém lhe dizer:

- **Voici la poste...le musée...l'université.** (*vuá-cí la pόst...lâ my-zê...ly-ni-vér-si-tê*) (Aqui estão os correios... o museu... a universidade!)
- **Voilà les bureaux!** (*vuá-lá le by-rrô*) (Lá/ali estão os escritórios!)

Mas é mais provável ainda que você receba uma destas frases simples como resposta:

- **Le voici!** (*lâ vuá-ici*) (Ei-lo aqui/Aqui está).
- **La voilà!** (*la vuá-lá*) (Ei-la ali/Ali está).
- **Les voilà** (*lê vuá-lá*) (Ei-los/las ali/Ali estão).

O **le**, **la** ou **les** substituem o substantivo que foi mencionado na pergunta, mas lembre-se de colocá-los antes de **voici** ou **voilà**.

Palavras a Saber

ils restent	il' rést	eles ficam
elle mène à	el' mén' a	ela leva a
ce bus	sê byz	este ônibus
cette rue	cét ry	esta rua
il se trouve	il' sê trruv	ele se encontra/fica
la place	la plass	a praça
les toilettes	le tuá-lét	o banheiro
le musée	lâ my-zê	o museu
la cathédrale	la ca-tê-drrálâ	a catedral
l'église (fem.)	lê-glíz	a igreja
les feux	le fâ	o semáforo

Orientando-se para pedir orientação

E se você não entender as orientações porque a pessoa com a qual está conversando está falando rápido demais, falando "enrolado" ou tem um sotaque muito forte? Antes de saber como pedir orientações mais detalhadas, pense no que você vai dizer se toda essa confusão acontecer. As frases a seguir podem realmente ajudar:

- **Excusez-moi!** (*eks-ky-zê muá*) (Desculpe-me.)
- **Pardon** (*par-dõ*) (Perdão.)
- **Je ne comprends pas.** (*jâ nê cõ-prã pá*) (Não entendo/entendi.)
- **Est-ce que vous pouvez répéter, s'il vous plaît?** (*és-kâ vu pu-vê rê-pê-tê, sil' vu plé?*) (Você poderia repetir, por favor?)
- **Parlez plus lentement.** (*par-lê ply lãt-mã*) (Fale mais devagar.)
- **Qu'est-ce que vous avez dit?** (*kés-kâ vu-za-vê dí?*) (O que você disse?)

Palavras a Saber

le centre-ville	lâ sã-trrâ-vil'	o centro da cidade
près/loin (de)	prré/luâ (dê)	perto/longe
allez!	a-lê	vá!
la gare	la gar	a estação de trem
là-bas	lá-bá	ali
prenez...!	prrâ-nê	pegue...!

(continua)

la station de métro	la sta-ciõ dê me-trrô	a estação de metrô
à deux minutes	a dâ mi-nyt	a dois minutos de distância
il y a	il' ia	há
la station-service	la sta-ciõ sér-vís	o posto de gasolina
à gauche	a gô-che	à esquerda
suivez!	syi-vê	siga!
la rue	la ry	a rua
à droite	a drruá	à direita
j'ai besoin de	jê be-zuã dê	preciso de
le croisement	lâ crruáz-mã	o cruzamento
tout droit	tu drruá	em frente / direto
au bout (de)	ô bu (dê)	no final (de)

- **Nous voulons aller à pied à Notre Dame. Est-ce que c'est loin?** (*nu vu-lõ a-lê a piê a nó-trre dâm'. és-kâ cé luã?*) (Nós queremos ir a Notre Dame a pé. É longe?)
- **Non, c'est à 15 minutes peut-être. Vous sortez de l'hôtel, tournez à gauche et continuez tout droit.** (*nõ, cé-tá kãz mi-nyt pâ-té-trrâ. vu sór-tê dê lô-tél', tur-nê a gô-che ê cõ-ti--ny-ê tu drruá*) (Não, fica a 15 minutos, talvez. Você sai do hotel, vira à esquerda e continua em frente.)

- **Et ensuite?** (*ê ã-ssyít?*) (E em seguida?)
- **Vous allez voir la cathédrale après le Pont Neuf.** (*vu--za-lê vuar la ca-tê-drrálâ' a-prré lâ põ-nâf*) (Você vai ver a catedral depois da Pont Neuf.)

Palavras a Saber

nous voulons	nu vu-lõ	nós queremos
à pied	a piê	a pé
peut-être	pâ-té-trrâ	talvez
vous sortez	vu sór-tê	você sai
vous tournez	vu tur-nê	você vira
vous continuez	vu cõ-ti-ny-ê	você continua
ensuite	ã-ssyít	em seguida
vous allez voir	vu-za-lê vuar	você vai ver
aprés	a-prré	depois de

Usando comandos

Quando alguém orienta você até um local, essa pessoa está dando um comando. Entende-se que é a você que ela está referindo-se, mas, como em francês é possível se referir a você usando **tu** (a forma familiar) e **vous** (formal), existem duas formas de comando:

- **Va au centre!** (*vá ô sã-trrâ*) (Vá ao centro!)
- **Allez tout droit!** (*a-lê tu drruá*) (Vá em frente!)

Somente no caso de verbos terminados em **-er**, remova o **-s** final do **tu** em todos os comandos, como na tabela 9-1.

Tabela 9-1 Forma para comandos (informal)

Infinitivo (-er)	*Forma com tu*	*Forma para Comandos (Imperativo)*
aller (a-lê) (ir)	tu vas (ty vá)	va! (vá) (vá!)
continuer (cõ-ti--ny-ê) (continuar)	tu continues (ty cõ-ti-ny)	continue! (cõ-ti-ny) (continue!)

Expressando distâncias

Você pode usar **à** para expressões de tempo, tais como "Vejo você daqui a quinze minutos, amanhã, semana que vem", mas pode também usar para distâncias, como a seguir:

- **à deux minutes** (*a dâ mi-nyt*) (a dois minutos)
- **à cent mètres** (*a sã mé-trre*) (a cem metros)
- **C'est à cent mètres d'ici.** (*cé-tá sã mé-trre di-cí*) (É a cem metros daqui.)
- **C'est à deux kilomètres.** (*cé-tá dâ ki-lo-mé-trre*) (É a dois quilômetros.)

Indo para o norte, sul, leste e oeste

Se estiver passeando de carro por um país de língua francesa, esta seção lhe dará algumas dicas de como pedir orientação ou sair de um engarrafamento, caso você se perca.

Primeiro, é preciso saber os pontos cardeais. Veja a tabela 9-2.

Tabela 9-2 Direções da Bússola

Direção	*Pronúncia*	*Tradução*
nord	nór	norte
nord-est	nór-dést	nordeste
est	ést	leste
sud-est	sy-dést	sudeste
sud	syd	sul
sud-ouest	sy-duést	sudoeste
ouest	uést	oeste
nord-ouest	nór-uést	noroeste

Ao pedir ou dar orientações, sempre acrescente **au** ou **à l'** (*ô* ou *ál'*) (ao/a) antes do ponto cardeal, como nos seguintes exemplos:

- **Paris est au nord de Nice.** (*pa-rrí é-tô nór dâ nís*) (Paris fica ao norte de Nice.)
- **New York est au sud de Montréal.** (*niu iórk é-tô syd dê mõ-rê-al'*) (Nova Iorque fica ao sul de Montreal.)
- **Madagascar est au sud-est de l'Afrique.** (*ma-da-gas-cár é-tô sy-dést dê la-frrík*) (Madagascar fica a sudeste da África.)
- **La Belgique est à l'est de la France.** (*la bél'-gík é-ta-lést dê la frrãs*) (A Bélgica fica a leste da França.)

Como **ouest** começa com **o**, que é uma vogal, use **à l'**, em vez da contração **au (à + le = au)**.

Por exemplo:

- **Où est le château de Versailles?** (*u é lâ cha-tô dâ vér--sai?*) (Onde é o castelo de Versailles?)
- **Il se trouve à l'ouest de Paris.** (*il' sê trruv a-luést dâ pa-rri*) (Ele se encontra a oeste de Paris.)
- **C'est loin?** (*cé luã?*) (É longe?)
- **C'est à une heure en voiture, à peu près.** (*cé-tá yn âr ã vuá-tyr, a pâ prré*) (É uma hora de carro, aproximadamente.)

Palavras a Saber

le château	lâ cha-tô	o castelo
N'est-ce pas?	néss-pá	não é?
une heure	yn âr	uma hora
en voiture	ã vuá-tyr	de carro
à peu près	a pâ prré	aproximadamente
nous pouvons	nu pu-võ	nós podemos
On va se télépho-ner	õ vá sê tê-lê-fõ-nê	Nós vamos nos telefonar.
avant	a-vã	antes (de)
Adieu!	a-diâ	Adeus! (Tchau)

Fazendo perguntas quando você está perdido

E se você se perder a caminho de Versailles, por exemplo? Ou talvez, em algum momento de fraqueza, você simplesmente queira ter certeza de que está no caminho certo, seja lá para onde esteja indo. Veja algumas perguntas que podem ajudar:

- **Est-ce que c'est la bonne route pour Versailles?** (*és-kâ cé la bone' rut pur vér-sai?*) (Esta é a estrada certa para Versailles?)
- **Où va cette rue?** (*u vá cét ry?*) (Aonde vai esta rua?)
- **Comment s'appelle cette ville?** (*cõ-mã sa-pél' cét vil'?*) (Como se chama esta cidade?)

E veja algumas respostas que você talvez receba:

- **Allez au rond-point.** (*a-lê ô rõ-puã*) (Vá até a rotatória.)
- **Passez les feux.** (*passê le fâ*) (Passe o semáforo.)
- **Après le bois, prenez à gauche.** (*a-prré lâ buá, prrâ-nê a gô-che*) (Depois do bosque, pegue à esquerda.)

Capítulo 10

Descansando a Cabeça: Em Casa ou no Hotel

Neste capítulo

- Circulando pela casa
- Chegando a um hotel
- Conseguindo um quarto (e devolvendo-o)

Não importa se você estava trabalhando no escritório, fazendo compras ou viajando, no final do dia, você precisa de um lugar para descansar a cabeça. Este capítulo ensina as frases necessárias para circular pela sua casa ou achar um hotel.

Sentindo-se em Casa

Queira você apenas saber como se virar dentro de casa em francês ou esteja visitando uma casa na França, o vocabulário e as frases apresentadas nesta seção vão lhe dar um empurrãozinho.

A tabela 10-1 mostra os cômodos e os lugares de uma casa:

Tabela 10-1 Lugares de uma Casa

Palavra	*Pronúncia*	*Tradução*
la maison	la mê-zõ	a casa
l'appartement (masc.)	la-part-mã	o apartamento

(continua)

la cuisine	la cyi-zín'	a cozinha
le living/le salon	lâ li-ving/lâ sa-lõ	a sala de estar
la salle à manger	la sal' a mã-gê	a sala de jantar
la chambre	la chã-brre	o cômodo
la salle de bains	la sal' dê bã	o banheiro
la pièce	la pi-éss	o quarto
le grenier/la mansarde	lâ grrê-niê/ la mã-ssarde	o sótão
le couloir	lâ cu-luar	o corredor
le sous-sol	lâ su-sól'	o porão
l'escalier (masc.)	les-ca-liê	a escada
la penderie	la pã-de-rrí	o guarda-roupas
l'étage (masc.)	lê-tá-ge	o andar/pavimento
le rez-de-chaussée	lâ rê-dê-chô- -cê	o térreo
la cheminée	la che-mi-nê	a chaminé
le toit	lâ tuá	o telhado
le garage	lâ ga-rra-ge	a garagem
la route	la rute	a entrada de carros
la terrasse	la te-rráss	o terraço, pátio
le porche	lâ pór-che	a varanda

Obviamente, ter todos esses cômodos vazios não é aceitável. A tabela 10-2 ajuda você a preenchê-los com móveis:

Tabela 10-2 Coisas ao Redor da Casa

Palavra	*Pronúncia*	*Tradução*
l'étagère (fem.)	lê-ta-gér	a prateleira
le bureau	lâ by-rrô	a mesa de escritório
la chaise	la chéz	a cadeira
le commode	lâ co-mód	a cômoda
le lit	lâ lí	a cama
le couvre-lit	lâ cu-vrre-lí	a colcha
l'oreiller	ló-rrê-iê	o travesseiro
la table de nuit	la ta-ble dâ nuí	a mesinha de cabeceira
le placard	lâ pla-car	o guarda-roupas
le tapis	lâ ta-pí	o tapete
la lampe	la lãp	o abajur
la canapé/le sofa	la ca-na-pê/lâ so-fá	o sofá
le fauteuil	lâ fô-tui	a poltrona
la pendule	la pã-dyl'	o relógio
la télé(vision)	la tê-lê(vi-ziõ)	a televisão
la télécommande	la tê-lê-cõ-mãd	o controle remoto
la table (basse)	la ta-ble (báss)	a mesa (de centro)
l'évier	lê-viê	a pia
le réfrigérateur	lâ rê-frri-gê-rra--târ	o refrigerador
le congélateur	lâ cõ-ge-la-târ	o congelador/freezer
la cuisinère	la cyi-zi-nére	o fogão
le four	lâ fur	o forno
le lave-vaisselle	lâ lav-vé-ssél'	a lava-louças

(continua)

Palavra	*Pronúncia*	*Tradução*
le four à micro- -ondes	lâ fur a mi-crro- -õd	o forno de micro-ondas
la baignoire	la bã-nhuar	a banheira
la douche	la dú-che	a ducha/o chuveiro
la corbeille	la cór-béie	a lixeira
le lavabo	lâ la-va-bô	a pia de banheiro
le miroir	lâ mi-rruar	o espelho
la machine à laver	lâ ma-chín' a la-vê	a máquina de lavar
le sèche-linge	lâ sé-che-lãge	a secadora de roupas
le plafond	lâ pla-fõ	o teto
le plancher	lâ plã-chê	o chão
le rideau	lâ ri-dô	a cortina
la fenêtre	la fê-né-trre	a janela
la porte	la pórtâ	a porta

Em francês, existe uma diferença entre **la salle de bains** (*la sal' dâ bã*) e **les toilettes** (*lê tuá--lét*). **La salle de bains** literalmente significa sala de banhos, ou um lugar para tomar banho, e não necessariamente tem um vaso sanitário. Se estiver procurando por um sanitário, pergunte por **les toilettes** ou o **W.C.** (*du-ble-vê cê*).

Veja algumas frases que você poderá ouvir pela casa:

- **Vous devez m'aider à faire le ménage.** (*vu dê-vê mê-dê a fér lê mê-na-ge*) (Você deve ajudar-me a limpar a casa.)
- **Je fais mon lit.** (*jâ fé mõ lí*) (Vou fazer a cama.)

- **Je range ma chambre.** (*jâ rã-ge ma chã-brrâ*) (Vou arrumar meu quarto.)
- **Je passe l'aspirateur dans la salle de séjour.** (*jâ páss las-pi-rra-târ dã la sal' dâ sê-jur*) (Vou passar o aspirador de pó na sala de estar.)
- **Je nettoie la salle de bains et les toilettes.** (*jâ ne--tuá la sal' dâ bã ê le tuá-lét*) (Vou limpar o banheiro e o vaso.)

Palavras a Saber

faire le ménage	fér lâ mê-na-ge	limpar a casa
Je fais mon lit.	jâ fé mõ lí	Vou fazer a cama.
Je range ma chambre.	jâ rã-ge ma chã--brre	Vou arrumar meu quarto.
passe l'aspirateur.	páss las-pi-rra-târ	Passe o aspirador de pó.
la salle de séjour	la sal' dâ sê-jur	a sala de estar
nettoie la salle de bains et les toilettes	ne-tuá la sal' dâ bã e le tuá-lét	Limpe o banheiro e o vaso
Mettez la table.	me-tê la ta-ble	Ponham a mesa.
fais la cuisine	fé la cyi-zín'	Faça o jantar
fais un gâteau	fé ã ga-tô	Faça um bolo
fais la vaisselle	fé la vé-ssél'	Lave os pratos

Procurando por Hotéis

São várias as opções quando você sai em busca de um hotel:

- **Hôtels** (*ô-tél'*) (hotéis) ou **hôtels de tourisme** (*ô-tél' dê tu-rrís-me*) (hotéis de turismo)
- **Hôtel garni** (*ô-tél' gar-ní*) (pousada)
- **Maison de logement** (*mê-zõ dâ lo-ge-mã*) (hotel pequeno [Canadá])
- **Pension (de famille)** (*pã-siõ (dâ fa-mí-ie)*) (pensão de família [Europa])

  Também chamados de **logis** (*lo-gí*) ou **auberge** (*ô-bér-ge*)
- **Châteaux-hôtels** (*cha-tô-ô-tél'*) (hotéis de luxo)
- **Gîtes ruraux.** (*git ry-rrô*) (Casas mobiliadas para alugar durante as férias.)

Talvez seja interessante saber como se dirigir aos funcionários do hotel onde você está hospedado, principalmente quando estiver pegando informações sobre os quartos. Os funcionários do sexo masculino são chamados de **Monsieur**; as funcionárias são chamadas de **Madame** ou **Mademoiselle**. Estes nomes também são usados para garçons e garçonetes. Muitas pessoas hoje consideram a palavra **garçon** (*gar-ssõ*) (menino) antiquada e inadequada.

Veja algumas frases que você pode usar ou encontrar quando estiver procurando por um quarto:

- **Je voudrais une chambre pour deux personnes.** (*jâ vu-drré yn chã-brre pur dâ pér-sóne*) (Eu gostaria de um quarto para duas pessoas.)
- **Je regrette. L'hôtel est complet.** (*jâ rê-grrét. lô--tél' é cõ-plé*) (Sinto muito. O hotel está cheio.)
- **Est-ce qu'il y a un autre hôtel près d'ici?** (*és-kil' iá an-ô-trr-ô-tél' prré di-cí?*) (Há algum outro hotel perto daqui?)
- **C'est combien par nuit?** (*cé cõ-biã par nuí?*) (Quanto é por noite?)

- **Est-ce qu'on peut voir la chambre?** (*és-kõ pâ vuar la chã-brre?*) (Podemos ver o quarto?)
- **Nous voulons une chambre avec des lits jumeaux.** (*nu vu-lõ yn chã-brre avék de lí jy-mô*) (Queremos um quarto com camas separadas.)
- **Je veux une chambre double avec douche (ou avec baignoire).** (*jâ vâ yn chã-brre du-ble avék dú-che (u avék bã-nhuar*) (Quero um quarto duplo com chuveiro (ou com banheira).)
- **Côté cour ou côté rue?** (*cô-tê cur u cô-tê ry?*) (Com vista para os fundos ou para a rua?)
- **Le rez-de-chaussée nous convient.** (*lâ rê-dê-chô-cê nu cõ-viã*) (O térreo está bom para nós.)

Palavras a Saber

la chambre	la chã-brre	o quarto
complet	cõ-plé	cheio/lotado
près d'ici	prré di-cí	perto daqui
un autre	ãn-ô-trre	outro
par nuit	par nyí	por noite
une chambre double	yn chã-brre du-ble	um quarto duplo
des lits jumeaux	dê lí jy-mô	camas separadas
la douche	la dú-che	o chuveiro
la baignoire	la bã-nhuar	a banheira
un lit	ã lí	uma cama

(continua)

côté cour	cô-tê cur	vista para os fundos
Je vérifie.	jâ vê-rri-fí	Estou verificando.
ça coûte	sá cut	custa/fica em

Dando Entrada e Saída do Hotel

Ao chegar a um hotel, é provável que você tenha que preencher a ficha de cadastro, na qual constam os seguintes itens mostrados na tabela 10-3.

Tabela 10-3 Itens da Ficha

Palavra	*Pronúncia*	*Tradução*
nom/prénom	nõ/prrê-nõ	sobrenome/nome
lieu de résidence	liâ d rê-zi-dãs	local de resi-dência
rue/numéro	ry/ny-mê-rrô	rua/número
ville/code postal	víl/cód pós-tál	cidade/CEP
état/pays	ê-tá/pê-í	estado/país
numéro de téléphone	ny-mê-rrô dê tê-lê-fõ	número de telefone
nationalité	na-cio-na-li-tê	nacionalidade
date/lieu de naissance	dat/liâ dê né-ssãs	data/local de nascimento
numéro de passeport	ny-mê-rrô dê páss-pór	número do pas-saporte
signature	si-nha-tyr	assinatura
numéro d'immatriculation de la voiture	ny-mê-rrô di-ma-trri--ky-la-ciõ dâ la vuá-tyr	número da placa do carro

Quando estiver pronto para escolher o quarto, as frases a seguir podem ajudar:

- **Nous prenons la chambre au troisième étage.** (*nu prrê-nõ la chã-brre ô trrua-ziém' ê-tá-ge*) (Vamos ficar com o quarto do quarto andar.)
- **Veuillez remplir cette fiche, s'il vous plaît, et j'ai besoin de vos passeports.** (*vâ-iê rã-plir cét fi-che, sil' vu plé, ê jê bê-zuã dâ vô páss-pór*) (Por favor, preencham esta ficha, e precisa de seus passaportes.)
- **L'ascenseur est à gauche.** (*la-ssã-ssâr é-tá gô-che*) (O elevador é à esquerda.)
- **À quelle heure fermez-vous la porte principale?** (*a kél' âr fér-mê-vu la pórt prã-ci-pál'?*) (A que horas vocês fecham a porta principal?)
- **À quelle heure faut-il libérer la chambre?** (*a kél' âr fô-til' li-bê-rrê la chã-brre?*) (A que horas é preciso liberar o quarto?)

Na manhã seguinte, na hora de sair do hotel, veja algumas frases que você poderá ouvir ou usar:

- **Je peux laisser mes bagages ici jusqu'à seize heures?** (*jâ pâ le-ssê me ba-ga-ge i-ci jys-ká séz âr?*) (Posso deixar minha bagagem aqui até as 16 horas?)
- **Voulez-vous la note maintenant?** (*vu-lê-vu la nót mét-nã?*) (Você deseja a conta agora?)
- **Vous acceptez les cartes de crédits, n'est-ce pas?** (*vu-zak-sep-tê le cart dâ crrê-dí, néss-pá?*) (Vocês aceitam cartões de crédito, não é?)
- **Pouvez-vous m'appeler un taxi, s'il vous plaît?** (*pu-vê vu ma-pê-lê ã ta-ksí sil' vu plé?*) (Você poderia chamar um táxi para mim, por favor?)

Palavras a Saber

veuillez remplir	vâ-iê rã-plir	preencha por favor
la fiche	la fí-che	ficha de cadastro
j'ai besoin de	jê bê-zuã dê	preciso de
à quelle heure?	a kél' âr	a que horas?
vous fermez	vu fer-mê	você(s) fecha(m)
la porte principale	la pórt prrã-ci-pál	a porta principal
à minuit	a mi-nyí	à meia-noite
toujours	tu-júr	sempre
vous pouvez sonner	vu pu-vê sõ-nê	você pode tocar a campainha
il faut libérer la chambre	il' fô li-bê-rrê la chã-brre	temos que liberar o quarto
avant midi	avã mi-dí	antes do meio-dia
je peux laisser	jâ pâ le-ssê	posso deixar
le bagage	lâ ba-ga-ge	a bagagem
jusqu'à	jys-ká	até

(continua)

là-bas	lá-bá	ali
au coin	ô cuã	no canto
la note	la nót	a conta
un coup de téléphone	ã cu dâ tê-lê-fõ	um telefonema
vous acceptez	vu-zak-sep-tê	vocês aceitam
le reçu	lâ rê-ssy	o recibo
vous pouvez appeler	vu pu-vê a-pê-lê	você pode chamar

Capítulo 11

Lidando com Emergências

Neste Capítulo

- Lidando com emergências médicas
- Lidando com problemas de saúde comuns
- Pedindo ajuda à polícia

Este capítulo trata daquelas situações que não são nada agradáveis, as emergências. A primeira seção trata dos problemas de saúde, emergências e coisas do dia-a-dia; a segunda seção aborda as questões legais.

Sobrevivendo às Emergências de Saúde

Independentemente de onde esteja, você vai perceber que as pessoas, em casos de emergência, tendem a ser prestativas e atenciosas. Geralmente, fazem o melhor para ajudar você, falando devagar, e até mesmo procurando alguém que fale sua língua nativa.

No local de um acidente

A lista a seguir ensina algumas frases fundamentais em francês que você deve saber em caso de emergência:

- **Est-ce qu'il y a quelqu'un qui parle portugais?** (*és-kil' iá kél'-kã ki parl' por-ty-gué?*) (Há alguém que fale português?)

- **Est-ce qu'il ya a un docteur/une infirmière qui parle portugais?** (*és-kil' iá ã doc-târ/yn ã-fir-mi-ér ki parl' pór-ty-gué?*) (Há algum médico/alguma enfermeira que fale português?)
- **À l'aide! Vite!** (*a léd! vít!*) (Socorro! Rápido!)
- **Au secours!** (*ô sê-cur*) (Socorro!)
- **Au feu!** (*ô fâ*) (Fogo!)

Quando você estiver no local do acidente, as seguintes frases podem ser essenciais:

- **Pouvez-vous nous aider, s'il vous plaît?** (*pu-vê-vu nu-zê-dê sil' vu plé?*) (Você poderia nos ajudar, por favor?)
- **Appelez un docteur!** (*a-pâ-lê ã doc-târ!*) (Chame um médico!)
- **Cet homme est blessé.** (*sê-tóm' é blé-ssê*) (Este homem está ferido.)
- **Il saigne et il a perdu connaissance.** (*il' sã-nhe ê il' a pêr-dy cõ-né-ssãs*) (Ele está sangrando e perdeu a consciência.)
- **Il s'est évanoui.** (*il' sé ê-vã-nuí*) (Ele desmaiou.)
- **Qu'est-ce qui s'est passé?** (*kés-ki sê passê?*) (O que aconteceu?)
- **Il y a eu une collision.** (*il' iá â yn co-li-ziõ*) (Houve uma colisão/batida.)
- **Où avez-vouz mal?** (*u a-vê-vu mál'?*) (Onde dói?)
- **Ne bougez pas.** (*nê bu-gê pá*) (Não se mova.)
- **Est-ce que ça fait mal?** (*és-kâ sá fé mál?*) (Isso dói?)
- **Je vais appeler une ambulance.** (*jâ vé a-pâ-lê yn ã--by-lãs*) (Vou chamar uma ambulância.)

Veja mais algumas palavras que podem ser necessárias:

- **un hôpital** (*ãn-o-pi-tál*) (um hospital)
- **les urgences** (*le-zyr-jãs*) (sala de emergência)
- **le/la secouriste** (*lâ/la sê-cu-rríst*) (o/a paramédico/a)

Qu'est-ce qui s'est passé? (*kés-ki sé pa-ssê?*) (O que aconteceu?) é uma expressão idiomática que vale a pena memorizar, já que os franceses a usam com frequência. **Ça fait mal!** (*sá fé mále*) (Isso dói!) é outra expressão que vale a pena memorizar, pois, às vezes, ela é bastante útil.

Em francês, usa-se o artigo definido **(le, la, les**) antes das partes do corpo, em vez dos pronomes possessivos. Por exemplo:

- **Il ouvre les yeux** (*il'u-vrre le-ziâ*) (Ele está abrindo os olhos) (e não "seus" olhos).
- **Il s'est cassé la jambe.** (*il'sé ca-ssê la jãb*) (Ele quebrou a perna) (e não "sua" perna).

Quando quiser dizer que uma parte do corpo está doendo, use a seguinte construção: **j'ai mal à/au/aux** (*jê mál a/ô/ô*) + a parte do corpo. Você está usando o verbo **avoir** (*a-vuar*) (ter) mais a preposição **à** (*a*). Veja alguns exemplos:

- **J'ai mal à la jambe.** (*jê mál'a la jãb*) (Minha perna está doendo.)
- **Il/Elle a mal aux yeux.** (*il'/él'a mál'ô-ziâ*) (Ele/ela está com dor nos olhos.)

A tabela 11-1 traz uma lista de partes do corpo:

Tabela 11-1 Partes do Corpo

Palavra	*Pronúncia*	*Tradução*
le bras	lâ brrá	o braço
la main	la mã	a mão
le nez	lâ nê	o nariz
le doigt	lâ duá	o dedo da mão

(continua)

les côtes (fem.)	le côt	as costelas
le pied	lâ piê	o pé
la figure	la fi-guyr	o rosto
un oeil, les yeux	ã-nâi, lê-ziâ	um olho, os olhos
l'oreille	ló-rréi	a orelha
le cou	lâ cu	o pescoço
l'épaule	lê-pôl'	o ombro
la poitrine	la puá-trrin'	o peito
le genou	lâ jê-nu	o joelho
l'orteil	lór-téi	o dedo do pé

No hospital

As frases a seguir podem ser usadas quando você estiver no hospital sendo examinado pelo médico:

- **La coupure n'est pas grave.** (*la cu-pyr né pá grráv*) (O corte não é grave.)
- **Nous allons faire une radio de la jambe.** (*nu-za-lõ fér yn ra-diô dâ la jãb*) (Vamos fazer uma radiografia da perna.)
- **Voilà la fracture. Oui, vous vous êtes cassé la jambe.** (*vuá-lá la frrac-tyr. uí, vu vu-zét ca-ssê la jãb*) (Aqui está a fratura. Sim, você quebrou a perna.)
- **Il vous faut un plâtre.** (*il' vu fô-tã plá-trre*) (É preciso engessar.)

Não deixe de dizer aos médicos atendentes se houver fatores de complicação no seu histórico médico ou da pessoa que você acompanha, tal como:

- **Je suis cardiaque.** (*jâ syí car-diák*) (Sou cardíaco.)
- **J'ai eu une crise cardiaque il y a deux ans.** (*jê â yn crríz car-diák il' iá dâ-zã*) (Tive um ataque cardíaco há dois anos.)
- **J'ai de l'hypertension.** (*jê dâ li-pér-tã-ssiõ*) (Tenho hipertensão.)
- **Je suis diabétique/allergique à...** (*jâ syí dia-bê-tík/a-lér-gík a...*) (Sou diabético/alérgico a...)

Palavras a Saber		
un bleu	ã blâ	uma contusão
une égratignure	yn egrra-ti-nhyr	um arranhão
une brûlure	yn brry-lyr	uma queimadura
une fracture	ynfrrac-tyr	uma fratura
une coupure	yn cu-pyr	um corte

Lidando com um Caso Não Emergencial

Suponha agora que você simplesmente queira marcar uma consulta com um médico em uma situação não emergencial.

No caso de um resfriado, uma tosse, uma indigestão ou diarreia, primeiro converse com o farmacêutico. Na França, os farmacêuticos têm permissão de sugerir medicamentos para você. Neste caso, diga, por exemplo:

- **Pourriez-vous me donner un conseil?** (*pu-rriê-vu mâ dõ-nê ã cõ-sséi?*) (Você poderia dar um conselho?)
- **J'ai très mal à la tête.** (*jê trré mál' a la tét*) (Minha cabeça dói muito.)

- **J'ai le nez bouché.** (*jê lâ nê bu-chê*) (Meu nariz está entupido.)
- **J'ai un gros rhume.** (*jê ã grrô rýme'*) (Estou com um resfriado terrível.)
- **J'ai la diarrhée.** (*jê la dia-rrê*) (Estou com diarreia.)
- **Je suis constipé(e).** (*jâ syí cõs-ti-pê*) (Estou constipado.)

Se for preciso consultar um médico, os farmacêuticos podem fornecer o endereço de um médico ou telefonar para seu consultório, se assim você desejar. Veja algumas frases que você e o seu médico poderão usar no consultório:

- **Est-ce que je pourrais prendre rendez-vous le plus tôt possible?** (*és-kâ jâ pu-rré prrã-drre rã-dê-vu lâ ply tô po-ssí-ble?*) (Eu poderia marcar uma consulta para o mais cedo possível?)
- **De quoi souffrez-vous?** (*dâ kuá su-frrê-vu?*) (Do que você está sofrendo?)
- **Pouvez-vous venir tout de suite?** (*pu-vê-vu vê-nir tu-dê-sy-ít?*) (Você poderia vir imediatamente?)
- **Depuis quand vous sentez-vous comme ça?** (*dê-pyí kã vu sã-tê-vu cóm' sá?*) (Desde quando você se sente assim?)
- **Avez-vous perdu l'appetit?** (*a-vê-vu pêr-dy la-pê-tí?*) (Você perdeu o apetite?)
- **Reposez-vous bien pendant quelques jours.** (*rê-pó-zê-vu biã pã-dã kel'k jur*) (Repouse bem durante alguns dias.)
- **Est-ce que vous prenez des médicaments?** (*és-kâ vu prrê-nê de mê-di-ca-mã?*) (Você está tomando algum medicamento?)
- **Je suis allergique à l'aspirine.** (*jâ syíza-lér-gík a las--pi-rrín'*) (Sou alérgico a aspirina.)
- **Voilà une ordonnance... en cas de douleurs.** (*vuá-lá yne ór-do-nãs...ã cá dâ du-lâr*) (Aqui está uma receita... em caso de dores.)

- **Prenez un comprimé toutes les quatre heures et revenez dans trois jours.** (*prrê-nê ã cõ-prri-mê tut lê ca-trr-âr ê rê-vê-nê dã trruá jur*) (Tome um comprimido a cada quatro horas e volte dentro de três dias.)

A tabela 11-2 lista outros sintomas ou doenças que você pode ter.

Tabela 11-2 Doenças

Palavra	*Pronúncia*	*Tradução*
une maladie	yn ma-la-dí	uma doença
la grippe	la grríp	gripe
les amygdales	le-za-mig-dále	amídalas
une appendicite	yn a-pã-di-cít	apendicite
une intoxication alimentaire	yn ã-tok-si-ca-ciõ a-li-mã-tér	uma intoxicação alimentar
s'étouffer	sê-tu-fê	asfixiar-se
la rougeole	la ru-jól	sarampo
une apoplexie	yn a-po-plék-sí	um ataque
une sciatique	yn cia-tík	dor ciática
une insolation	yn ã-so-la-ciõ	insolação
l'asthme	lasm'	asma
l'arthrite	lar-trrít	artrite
un torticolis	ã tór-ti-co-lí	torcicolo
une rage de dents	yn ra-ge dâ dã	uma forte dor de dente
la douleur	la du-lâr	dor
une commotion cérébrale	yn cõ-mo-ciõ cê-rrê-brrál	concussão

Se for preciso ir ao dentista, as frases a seguir poderão ser úteis:

- **Cette dent me fait mal.** (*cét dã mê fé mál*) (Este dente está doendo.)
- **Le plombage est tombé.** (*lâ plõ-ba-ge é tõ-bê*) (A obturação caiu.)
- **Pourriez-vous le remplacer tout de suite?** (*pu-rriê vu lâ rã-pla-cê tu-dê-sy-ít?*) (Você poderia substituí-la imediatamente?)
- **Je peux seulement vous donner un traitement provisoire.** (*jâ pâ sâl'-mã vu dõ-nê ã trrét-mã prro-vi--zuar*) (Eu só posso dar-lhe um tratamento provisório.)
- **Faites-moi une anesthésie locale.** (*fét-muá yn a-nes--tê-zí lo-cál*) (Dê-me uma anestesia local.)
- **Vous pouvez vous rincer, s'il vous plaît.** (*vu pu-vê vu rã-cê sil' vu plé*) (Você pode enxaguar, por favor.)
- **Ne mangez pas pendant quatre heures.** (*nê mã-gê pá pã-dã ca-trr âr*) (Não coma durante quatro horas.)

Palavras a Saber

Vous souffrez.	vu su-frrê	Você está sofrendo.
Je me sens bien.	jâ mâ sã biã	Eu me sinto bem.
tout de suite	tu dê sy-ít	imediatamente
depuis hier	dê-pyí iér	desde ontem
quelques jours	kél'k jur	vários dias
provisoire	prrô-vi-zuar	provisório

(continua)

une ordonnance	yn ór-dõ-nãs	uma receita
un comprimé	ã cõ-prri-mê	um comprimido
une piqûre	yn pi-kyr	uma injeção
un calmant	ã cal'-mã	um calmante/sedativo
un généraliste	ã gê-nê-rra-líst	um clínico geral
un dentiste	ã dã-tíst	um dentista
une de mes lentilles de contact	yn dâ me lã-til' dâ cõ-tact	uma das minhas lentes de contato
les lunettes (fem.)	le ly-nét	os óculos
un verre	ã vér	uma lente

Conhecendo a Lei

Se estiver viajando para o exterior, é bem provável que você não precise recorrer ao cônsul do seu país, mas é preciso saber o seguinte: estando em um país que não é o seu, as leis daquele país se sobrepõem às leis do seu país de origem. E é o cônsul do seu país que realmente está ao seu lado, mais do que qualquer advogado ou polícia local.

Acidentes

Esperamos que você nunca se envolva em um acidente em um país de língua francesa. Mas convém ter à mão as seguintes frases na eventualidade de um acidente:

- **Il y a eu un accident...** (*il' iá â ã-nak-si-dã*) (Houve um acidente...)
- **sur l'autoroute** (*syr lô-tô-rúte*) (na rodovia)
- **sur la route** (*syr la rúte*) (na estrada)
- **Appelez...!** (*a-pê-lê*) (Chame(m)...!)
- **une ambulance** (*yn ã-by-lãs*) (uma ambulância)
- **un docteur** (*ã doc-târ*) (um médico)
- **les pompiers** (*lê põ-piê*) (o corpo de bombeiros)
- **la police** (*la po-líss*) (a polícia)

Quando a polícia chega, ela geralmente faz várias perguntas, tais como:

- **Est-ce que je peux voire votre...?** (*és-kâ jâ pâ vuar vó-trre?*) (Posso ver o(a) seu(sua)...?)

  permis de conduire (masc.) (*per-mi dâ cõ-dy-ír*) (carteira de motorista)

  certificat d'assurance (*cer-ti-fi-cá da-ssy-rãs*) (certificado de seguro)
- **carte grise** (fem.) (*cart grríz*) (documento do veículo)
- **Quel est votre nom et adresse?** (*kél' é vó-trre nõ ê a-drréss?*) (Qual é o seu nome e endereço?)
- **À quelle heure est-ce que ça s'est passé?** (*a kél' âr és-kâ sá sé pa-ssê?*) (A que horas aconteceu?)
- **Est-ce qu'il y a des témoins?** (*és-kil' iá de tê-muã?*) (Há alguma testemunha?)

É preciso também entender as seguintes frases, caso elas apareçam na conversa:

- **Vos feux ne marchent pas.** (*vô fâ nê mar-che pá*) (Seus faróis não estão funcionando.)
- **Vous devez payer une amende.** (*vu dê-vê pê-iê yn a-mãd*) (Você deve pagar uma multa.)
- **Vous devez venir au commissariat pour faire une déposition.** (*vu dê-vê vê-nir ô cô-mi-ssa-rriá pur fér yn dê-po-si-ciõ*) (Você deve vir à delegacia para prestar depoimento.)

E se você quiser dizer algumas coisas também? Algumas das frases a seguir podem ajudar:

- **Il m'est rentré dedans.** (*il' mé rã-trrê dâ-dã*) (Ele bateu em mim.)
- **Elle a conduit trop vite/près.** (*él' a cõ-dyí trrô vit/ prré*) (Ela dirigiu muito rápidamente/próximo.)
- **J'ai fait... kilomètres à l'heure.** (*jâ fé ... ki-lo-mé-trre a lâr*) (Eu estava fazendo ... quilômetros por hora.)
- **Je voudrais un interprète/un avocat.** (*jâ vu-drré ã--nã-tér-prrét/ã-na-vo-cá*) (Eu gostaria de um intérprete/um advogado.)

Roubos, furtos e agressões

Veja algumas palavras para gritar e chamar a atenção dos outros no caso de apuros:

- **À l'aide!** (*a léd*) (Socorro!)
- **Au secours!** (*ô sê-cur*) (Socorro!)
- **Arrêtez-le/la!** (*a-rre-tê-lê/la*) (Peguem-no/na!)
- **Au voleur!** (*ô vo-lâr*) (Pega ladrão!)
- **Police!** (*po-líss*) (Polícia!)

Você deve dirigir-se ao **commissariat de police** (*co-mi-ssa-rriá dâ po-liss*) nas cidades maiores ou ao **gendarmerie nationale** (*jã-dar-mê-rrí na-cio-nal'*) em cidades menores. É possível que você precise fazer a seguinte pergunta a um estranho:

> **Où est le commissariat de police le plus proche?** (*u é lâ co-mi-ssa-rriá dâ po-líss lâ ply prró-che?*) (Onde é a delegacia de polícia mais próxima?)

Ao chegar à delegacia, você poderá precisar das seguintes frases:

- **Est-ce qu'il y a quelqu'un qui parle portugais?** (*és-kil' iá kél'-kã ki parl' por-ty-gué?*) (Há alguém que fale português?)
- **Je veux signaler...** (*jâ vâ si-nha-lê*) (Quero relatar...)
  un accident (*ã-nak-si-dã*) (um acidente)
  une attaque (*yn a-ták*) (um ataque)
  une agression (*yn a-grrê-ciõ*) (uma agressão)
  un viol (*ã vi-ól*) (um estupro)
  un cambriolage (*ã cã-brri-o-la-ge*) (um roubo)
  un vol (*ã vól*) (um furto)
- **Mon enfant a disparu.** (*mõ-nã-fã a dis-pa-rrý*) (Meu filho desapareceu.)
- **Voilà une photo.** (*vuá-lá yn fô-tô*) (Aqui está uma foto.)
- **Quelqu'un me suit.** (*kél'-kã mê syí*) (Alguém está seguindo -me.)

Se você tiver sido roubado, a lista a seguir apresenta os equivalentes em francês para os itens mais prováveis:

- **On m'a volé...** (*õ ma vô-lê*) (Roubaram-me...)
  mon appareil photo (*mõ-na-pa-rréi fô-tô*) (minha câmera)
  mes cartes de crédit (*me cart dâ crrê-dí*) (meus cartões de crédito)
  mon sac (*mõ sak*) (minha mochila)
  mon argent (*mõ-nar-jã*) (meu dinheiro)
  mon passeport (*mõ pass-pór*) (meu passaporte)
  mon porte-monnaie (*mõ pórt-mo-né*) (minha carteira)
  ma montre (*ma mõ-trre*) (meu relógio de pulso)
  ma bicyclette (*ma bi-ci-clét*) (minha bicicleta)
  ma voiture (*ma vuá-tyr*) (meu carro)

É possível que a polícia peça mais detalhes, como nas perguntas a seguir:

- **Qu'est-ce qui vous manque?** (*kés-ki vu mãk?*) (O que está faltando?)
- **Ça s'est passé quand?** (*sá sé pa-ssê kã?*) (Isso aconteceu quando?)
- **Où logez-vous?** (*u lo-gê-vu?*) (Onde você está hospedado?)
- **Où étiez-vous à ce moment-là?** (*u ê-tiê-vu a sê mo-mã lá?*) (Onde você estava nesse momento?)
- **Pouvez-vous décrire la personne?** (*pu-vê-vu de-crrír la pér-sóne?*) (Você poderia descrever a pessoa?)
- **C'était quelqu'un...** (*cê-té kél'kã*) (Era alguém...)

  aux cheveux blonds/bruns/roux/gris (*ô chê-vâ blõ/brã/ru/grrí*) (com cabelos louros/castanhos/ruivos/cinza)

  un peu chauve (*ã pâ chôv*) (meio calvo)

  grand/petit/mince/gros (*grrã/pâ-tí/mãs/grrô*) (alto/baixo/magro/gordo)

  d'environ ...ans (*dã-vi-rrõ ... ã*) (em torno de... anos)

Por não ser fluente na língua, você pode-se sentir um pouco atordoado e precisar de ajuda. Você pode pedir o seguinte:

- **J'ai besoin d'un avocat qui parle portugais.** (*jê bê-zuã dã-na-vo-cá ki parl'por-ty-gué*) (Preciso de um advogado que fale português.)
- **Je dois contacter le consulat.** (*jâ duá cõ-tac-tê lâ cõ-ssy-lá*) (Preciso entrar em contato com o consulado.)
- **Je voudrais téléphoner à un/une ami/amie en ville.** (*jâ vu-drré tê-lê-fõ-nê a ã/yn a-mí ã víl*) (Preciso telefonar para um(a) amigo(a) na cidade.)

Capítulo 12

As Dez Expressões Favoritas

Depois de se sintonizar um pouco com a língua francesa, é bem possível que, a qualquer momento, você ouça as pessoas usando estas pequenas expressões bastante francesas que parecem escapar da língua em qualquer ocasião. É até possível que você já as tenha ouvido anteriormente; agora, é hora de usá-las você mesmo.

C'est un fait accompli.

(*cé-tã fé a-cõ-plí*)

A tradução é "É um fato consumado". O que significa (belamente expressado em algumas palavras!) é isto: uma coisa feita e, portanto, não vale mais a pena se opor.

Quel faux pas!

(*kél'fô pá*)

A tradução literal é "Que passo falso!". Use-a, no entanto, para comentar sobre um erro de conduta, de fala e de modos, ou uma quebra de etiqueta, uma gafe.

Comme il faut

(*cõ-míl fô*)

A tradução desta frase é "Como deve ser", no sentido da coisa certa a ser feita ou simplesmente o jeito que as pessoas esperam que algo seja feito.

Bon appétit!

(*bõ-na-pe-tí*)

A frase significa "Bom apetite!" e é usada para expressar o que você deseja à outra pessoa antes de começar a comer.

Quelle horreur!

(*kél' ô-rrâr*)

Esta frase significa "Que horror!" e é usada para expressar qualquer sensação de horror, desgosto ou espanto.

Oh là là! La catastrophe!

(*ô lá lá la ca-tas-trróf*)

EsTa expressão se traduz como "Puxa, a catástrofe!" e os franceses a usam de forma descontraída quando uma situação parece ser horrível para uma parte, mas não tanto assim para a outra.

À tout à l'heure!

(*a tu-ta lâr*)

A tradução literal desta frase é "Até imediatamente". Use essa expressão somente quando você realmente espera ver a pessoa que está indo "daqui a pouco".

C'est la vie!

(*cé la ví*)

Esta expressão se traduz como "É a vida!" e implica "Bom, o que se há de fazer?".

Comme ci, comme ça!

(*cóm' ci, cóm' sá*)

Literalmente, esta frase significa "como isso, como aquilo". Seu significado real é nem isso, nem aquilo, nem tanto lá, nem tanto cá – algo intermediário. É comum usar essa frase como resposta quando alguém lhe pergunta como você está.

C'est le ton qui fait la musique!

(*cé lâ tõ ki fé la my-zík*)

EsTa expressão significa literalmente "É o tom que faz a música", e quer dizer basicamente que o que importa é a forma como você diz as coisas e não necessariamente o que diz.

Capítulo 13

Dez Frases Que Fazem Você Parecer Francês

As expressões a seguir são extremamente francesas. Usando-as, você poderá até se passar por um falante nativo de francês!

Ça m'a fait très plaisir ou C'était génial!

(*sá ma fé trré plê-zír*) ou (*cé-té gê-ni-ál*)

Com esta frase, você está dizendo "Gostei muito (disso)" ou "Foi genial/fantástico!". São duas formas de expressar seu entusiasmo. Você pode também falar em nome da pessoa com quem está (e que não sabe falar francês) bastando, para isso, mudar o pronome: **Ça lui a fait très plaisir!** (*sá ly-í a fé trré plê-zír*) (Ele/ela gostou muito.)

Passez-moi un coup de fil!

(*pa-ssê muá ã cu dâ fil'*)

Esta frase significa "Ligue para mim". Você pode dizer, obviamente, **Appelez-moi!** (*a-pê-lê muá*) ou **Téléphonez-moi** (*tê-lê-fõ-nê muá*), mas não seria tão sofisticado quanto um "Me bate um fio"!

Algumas possíveis variações:

- **Passez-nous un coup de fil!** (*pa-ssê nu ã cu dâ fil'*) (Ligue para nós!)
- **Je vais vous/lui/leur passer un coup de fil.** (*jâ vé vu/ ly-í/lâr pa-ssê ã cu dâ fil'*) (Vou ligar para você/ele/ ela/eles.)

On y va! ou Allons-y!

(*õ-ni va*) ou (*a-lõ-zí*)

Esta frase significa "Vamos lá". Você também pode usar essa última opção para despachar alguém: diga **Allez-y** (*a-lê-zí*) (Vá em frente!) ou **Vas-y!** (*va-zí*), que é a forma familiar, se quiser insistir no assunto.

Je n'en sais rien.

(*jâ nã sé riã*)

Esta frase significa "Não sei de nada". Na linguagem coloquial, você pode dizer **J'en sais rien** (*jã sé riã*), que é o que você escuta na maioria das vezes, embora esteja tecnicamente incorreta.

Mais je rêve!

(*mé jâ rév*)

Esta frase literalmente significa "Mas estou sonhando" e é usada para expressar uma situação que você não acredita que esteja acontecendo, tendo-se tornado bastante popular nos últimos anos por funcionar em qualquer nível de emoção. Use também **Mais tu rêves** (*mé ty rév*) (Você está sonhando/está louco.)

Quel amour de petit garçon!

(*kél' a-mur dê pâ-tí gar-ssõ*)

Esta frase significa "Que amor de menino!" e pode ser usada simplesmente como **Quel amour**, desde que se aponte para uma criança, um animalzinho ou um brinquedo, e todos ficarão impressionados com seu francês e com o seu objeto amado!

Vous n'avez pas le droit.

(*vu na-vê pá lâ drruá*)

Esta frase se traduz como "Você não tem o direito." e simplesmente significa "É proibido.", mas dá o recado de forma mais elegante.

Tu cherches midi à 14h.

(*ty chér-che mi-dí a catorz âr*).

Esta é com certeza a melhor de todas as frases. Se tentar traduzí-la, o resultado será "Você está procurando um meio-dia às 14:00". O que ela quer dizer é que alguém está tornando as coisas mais difíceis do que o necessário, que esta pessoa está fora de si e perdeu a perspectiva: **Il/Elle cherche midi à 14h**. Pratique também dizendo "**Il ne faut pas chercher midi à 14h**" (*il' nê fô pá cher-chê mi-dí a ca-torz âr*) (Você não deveria preocupar-se tanto com isso.)

Je veux acheter une bricole.

(*jâ vâ a-che-tê yn brri-cóle*)

Com esta frase, você está dizendo "Quero comprar um negócio/ um troço/uma coisa". É a palavra **bricole** que faz você parecer entendido no assunto. A palavra na verdade é derivada do verbo **bricoler** (*brri-co-lê*), que significa fazer pequenos consertos.

Prenons un pot!

(*prrê-nõ ã pó*)

"Vamos tomar um pote?". Se você usar um pouco da sua imaginação, chegará à conclusão de que ela significa "Vamos tomar uma bebida!".

Índice Remissivo

• A •

• B •

• C •

• D •

• E •

• F •

• G •

• H •

• I •

• J •

• L •

• M •

• N •

• O •

• P •

• Q •

• R •

• S •

• T •

• U •

• V •

ROTAPLAN
GRÁFICA E EDITORA LTDA
Rua Álvaro Seixas, 165
Engenho Novo - Rio de Janeiro
Tels.: (21) 2201-2089 / 8898
E-mail: rotaplanrio@gmail.com